COLLECTION DU GOÉLAND

Dans ses voyages au long cours, le goéland, cet oiseau marin, survole les continents de l'Arctique à l'Antarctique. Il plane sur les côtes et les baies, les lacs et les rivières jusqu'à l'intérieur des terres.

La collection du Goéland, par la diversité de ses auteurs et de ses sujets, vous propose de le suivre dans ses merveilleux voyages au fil des mots.

andante

félix leclerc

andante

poèmes

Illustrations de Nicole Benoît

COLLECTION DU GOÉLAND

éditions fides

Dépôt légal : 3e trimestre 1975   Bibliothèque nationale du Québec.

Achevé d'imprimer le 22 février 1988, à Louiseville, à l'Imprimerie Gagné Ltée, pour le compte des Éditions Fides.

Numéro de la fiche de catalogue
de la Centrale des Bibliothèques — CB : 75-9201

ISBN : 0-7755-0561-7

1

symphonie
de septembre

MATIN

Sous la grosse horloge qui marque cinq heures, dans la cuisine endormie où les conversations de la veille flottent encore dans une odeur de tabac, une femme vieille et belle, la première debout, tisonnier à la main et prière aux lèvres, sonne le réveil des choses.

Du poêle aux armoires, de la huche à la glacière, elle circule allégrement autour de la longue table, corde plusieurs pots de conserves sur son avant-bras et se dirige vers la sortie.

Avec sa main droite, elle fouille à tâtons, dans le verrou, ouvre la porte et sort.

Une grande bouffée d'air, aspirée jusqu'au fond, lui noie le visage.

Lorsque, dans sa dépense, ses conserves sont à l'abri sur les tablettes propres, elle revient, s'arrête sous le portique et distraitement regarde dans la cour où des morceaux de nuit, comme des bouts de rêves traqués, s'évanouissent.

Un bras de soleil s'étire à l'est dans un déchirement de brouillard, mélange des couleurs à même les réserves d'arc-en-ciel, fixe des figures fugitives sur une toile mouvante, efface et recommence.

La vieille est seule. Elle tire une broche de son chignon et tout un paquet de cheveux gris se déroule dans ses doigts ; elle en a plein les mains. Elle divise ses cheveux en trois rubans, et tresse, tresse par habitude, sans y penser, en fixant dehors le sable de la cour.

Des écharpes de brume lavent la terre, roulent sur l'herbe, dans le chemin, dans la prairie.

Deux hirondelles de grange passent affairées, virent, glissent, plongent et disparaissent derrière les bâtiments.

La lumière se lève en soufflant sur la brume et la brume recule par-dessus les toits. Le jour est debout.

A perte de vue, la vieille découvre des milliards de petits soleils, perdus dans chaque goutte de rosée. Les herbes sont décorées comme pour une noce de lutins. La fête sort du sol, silencieuse comme un parfum.

Des coups de sabots sur la route déserte : le laitier, matinal et ponctuel ami des citadins, s'amène, arrête son cheval en face de la maison et crie :

— Il y a quelqu'un ?

La vieille ne bouge pas. Elle n'ose se montrer, les cheveux défaits. Elle écoute. D'une fenêtre, une voix d'homme répond :

—- Qu'est-ce qu'il y a ?

Et le laitier, le buste hors de sa voiture, lance à pleine gorge cette question énigmatique qui semble être la suite d'une conversation précédente :

— Viens-tu le chercher aujourd'hui ?

Un court silence. La voix répond :

— J'irai.

Et le laitier, rentrant les épaules dans sa voiture, satisfait, s'éloigne vers la ville endormie en tapant du cordeau sur la croupe de sa bête.

La vieille descend avec précaution les marches boiteuses du tambour, s'avance lentement comme une reine, les yeux baissés, au milieu des brins d'herbes et des tiges folles qui la saluent jusqu'à terre. Des becs d'oiseaux percent les feuilles de rhubarbe et boivent la rosée.

A gauche, un jardin ; à droite, un verger ; en face, des champs vêtus de blé ; derrière, une vieille maison cachée sous des arbres :

voilà l'univers que cette femme déserte chaque dimanche pour aller à la messe.

Elle regarde partout alentour, en haut, en bas.

Après une courte marche vers les prairies, elle revient tout en douceur, comme si elle entrait dans l'église.

Une tête d'enfant s'encadre dans la lucarne au deuxième et salue le matin de toute sa figure.

Le fleuve s'étend au sud, passe avec ses grandes vagues frangées qui ont fait un long voyage.

Le barbet de la ferme sort de son trou sous la galerie, renifle, s'étire, bâille et, l'oreille au vent, trotte vers sa maîtresse en branlant la queue.

Et, dans la majesté du jour qui se lève, de très loin, une cloche sonne l'Angélus, de toute sa force, comme si elle se servait d'un porte-voix. La mère, toute courbée, toute prête, tend l'oreille, se signe ; ses lèvres murmurent un merci pour les millions de nouveau-nés.

Puis, elle entre chez elle où le feu bien vivant tourne dans sa cage.

Le soleil coule à verse sur le plancher.

Le jour a laissé le port.

MIDI

Midi. Le soleil plombe. Les chevaux vont au pas. Tout le long du macadam, on voit la marque de leurs crampons.

Le cuir de leur attelage s'imprime sur leurs flancs. La voiture la plus légère semble chargée de pierres.

Des paysans dorment, étendus à l'ombre, la tête sur les bras.

Par les portes ouvertes arrive un bruit de vaisselle.

Les poules cherchent le ciment froid des étables.

Les bêtes à cornes, debout dans les fossés, ruminent en regardant le vide à travers les aulnes.

A midi et à minuit, l'apaisement passe sur la ferme, s'impose comme un repos. A minuit, parce qu'il y a trop de ténèbres ; à midi, parce qu'il y a trop de clarté.

11

Midi est aux cigales ce qu'est minuit aux mouches à feu.

D'un bout à l'autre du jardin, des milliers de têtes vertes fixent le soleil ; si les plantes pouvaient se déraciner, elles voleraient droit à lui.

Les yeux qui fixent les toits de tôle se rapetissent et font mal jusqu'à se mouiller.

Dans l'épaisseur du feuillage, les oiseaux piaillent ; s'ils ont des courses à faire, ils les font à toute allure, en droite ligne dans la chaleur, et reviennent le bec grand ouvert.

Là-bas, dans le détour de la route, un homme marche. Il tire un câble au bout duquel boite un vieux cheval brun, déferré, avec des cicatrices sur les épaules ; un vieux travaillant de cheval qui a tracé les labours, divisé les jardins, rentré des récoltes, charroyé le bois et la glaise durant vingt-six ans ; un vétéran de la ferme.

Le laitier, son maître, l'abandonne (c'est ce qu'il a annoncé ce matin) parce qu'il ne peut nourrir indéfiniment un rentier qui ne se décide plus à mourir. Craignant les mauvais soins, il n'ose le vendre. Alors il le donne à cette condition formelle : la mort rapide et sans souffrance.

L'homme à qui échoue cette tâche vient lentement sur la route.

Le vieux percheron suit en branlant les oreilles, sans savoir où on l'amène, sans se douter qu'il passe dans le midi pour la dernière fois.

Il fait chaud.

Les fourmis invisibles font la sieste dans leurs galeries humides, au fond des couloirs neufs.

Un gamin de six ans, échevelé et barbouillé, assis jambes pendantes sur un coin du perron, gruge une carotte encore froide de la terre et tue les mouches avec un fouet de papier.

Une araignée l'observe du haut du plafond, par les carreaux de son filet.

C'est l'escale. Tout est arrêté et attend.

C'est l'heure de la lumière.

L'éblouissant roi passe devant sa nature, réchauffe les fleuves, brûle les sables, endort les animaux, et parfois met le feu aux forêts, et parfois tue les hommes.

SOIR

Nous voici au plus beau moment du jour, au plus bruyant sur la ferme, au plus agité, au plus vivant.

Cinq heures du soir. L'heure du train, l'heure des bidons, des chaudières, de la montée dans les champs, du rapaillage des bêtes.

Pendant que l'un trait les vaches, l'autre rentre dans la grange un voyage de blé ou de sarrasin.

Le jour s'éloigne comme si l'on tournait un abat-jour.

Un vent frais traverse les chemises, sèche les corps, essuie les fronts.

Le temps fait écho. Les cris de voix portent jusque chez le troisième voisin. Les habitants sont heureux.

La journée s'achève.

On rend la liberté aux chevaux de travail qui se roulent dans les pacages tièdes. Les poulins rejoignent leurs mères en gambadant.

Dans la cuisine, c'est le va-et-vient. Le soir, les hommes sont toujours affamés.

C'est l'heure où le chat guette les oiseaux.

Des boules de mouches tournent autour des troncs d'arbres.

Des enfants, pieds nus, arrosent les jardins et frisent l'eau sur le chien qui ne veut pas jouer.

Les poules, une par une, d'un air grave, rentrent se coucher ; et le coq, déjà juché, murmure en secouant la tête : « Pas tant de bruit, pas tant de bruit. »

L'engagé se lave les mains dehors dans un bassin de granit ; il regarde du côté des bâtiments et voit s'éloigner quelqu'un, une hache à la main, traînant au bout d'un câble un vieux percheron qui boite, hésite, comme s'il se doutait de quelque chose.

L'engagé crie :

— As-tu besoin de moi ?

Et une voix lui répond de loin, de l'autre côté de la grange :

— Non.

Les fleurs se disent bonsoir à la hâte et ferment leurs paupières.

La première chauve-souris passe à toute vitesse à travers les paquets de mouches et disparaît comme une voleuse, vers son nid connu de personne.

L'engagé regarde encore. Il ne voit plus ni homme ni cheval ; il écoute, s'immobilise trois secondes, serre les dents et soudain jette des poignées d'eau sur son visage en soufflant comme une chute, se peigne avec ses ongles, sans miroir, et court se mettre à table.

Les filles sont belles et bavardes, les hommes sont gais, sauf celui qui arrive en retard. Lui, ne fait pas de bruit ; il mange sans parler en fixant son assiette, dans laquelle il voit tourner une hache.

Quand même, c'est le plus beau moment du jour.

Il semble qu'à cette heure, on voudrait arrêter le temps.

On voudrait que tous les cœurs, toutes les horloges, tous les moteurs cessent leur tic-tac, tant la minute est douce.

L'âme de la terre sort, rôde, entre et s'installe dans l'âme des paysans.

Un déserteur rendu à la ville, quand il confesse à ses amis : « Je m'ennuie de ma terre », pense à ce moment de la journée, le plus beau, l'heure où les racines s'enfoncent un peu plus dans la glèbe.

NUIT

La nuit est venue. Quelqu'un a tourné la lampe. Il fait frais, presque froid. Tout dort.

Au-dessus de la grange, plus loin que les prairies et le bois, par-dessus la crête des pins, la lune regarde comme un œil ouvert. On peut lire un journal dehors, en l'approchant bien de ses yeux.

Les blés endormis bruissent une chanson, en balançant tous à la fois leurs tiges.

Les feuilles s'agitent doucement, comme si elles envoyaient la main à ceux qui n'ont pas de maison et qui passent durant la nuit pour ne pas être vus.

Le chien de garde, affairé, se penche, tourne, cherche, ramasse quelque chose dans ses dents et s'éloigne au bout de sa chaîne, à l'ombre de sa niche ; il gruge. On entend ses crocs mordre dans la chair d'un quartier de cheval, de vieux percheron qui a fini, qui n'est plus.

Par intervalles, on perçoit le couac-couac de la voleuse chauve-souris qui n'est pas encore couchée.

Des rideaux couleur de nuit tremblent dans les fenêtres ouvertes. Les mouches à feu brillent dans les buissons.

Une tache blanche se promène dans le parterre ; c'est la chatte qui s'ennuie et miaule en regardant les arbres.

Une barge passe sur le fleuve à un arpent du bord.

Qui est cet homme qui glisse sur le reflet du ciel et le brouille ?

L'air n'a jamais été si pur, il ne peut être meilleur.

C'est froid jusque dans la poitrine.

Le feu d'une allumette, à cette heure de la nuit, jette une étrange et longue clarté.

Les marcheurs passent dans la brume qui couvre la rosée de demain.

Quelle paix ! Mystère et grandeur !

Et chacune de ces millions d'étoiles est plus grosse que la terre ! Les savants n'ont jamais pu les compter toutes.

Ils les disent nombreuses comme les sables de la mer. Dans chaque vingt-quatre heures, il y a une nuit et un jour. Opérer ce changement monstre dans l'espace d'une heure, quand il faut des mois aux humains pour faire la nuit sur cent pieds carrés !

Quel puissant magicien que celui qui étend une nuit !

Et demain le soleil va venir !

Tout à l'heure, ce décor roulera dans le temps et le jour viendra comme deuxième tableau !

Et des hommes mourront cette nuit et d'autres naîtront !

Une nuit de septembre est une bonne nuit pour croire en Dieu.

2

dans mes souliers troués

Les hommes avaient ri
d'entendre mes chagrins,
disant :
nous souffrons nous aussi,
va donc gémir plus loin.

Plus loin je suis allé
et des femmes m'ont dit :
passant
tu vas nous consoler
c'est dégoûtant, la vie !

Dans mes souliers troués,
plus bas j'ai continué ;
un enfant
vagabond, malheureux,
m'a dit : j'ai faim, monsieur !

A un tournant de rue
j'ai rencontré un chien
sans maître ;
j'ai avancé ma main,
confiant. Il m'a mordu.

Voyant cette misère
et cette pourriture,
j'ai dit :
où marcher et quoi faire ?
Allons voir la nature.

Dans mes souliers troués,
sur la prairie mouillée,
j'entrai
entre les ronds de foin
en poussant mes chagrins.

La nature dormait
la face dans la terre
trempée ;
ses flancs étaient couverts
de brisures et de raies.

Au bord du firmament
couraient de grands nuages
mêlés,
comme s'ils faisaient naufrage
et cherchaient le levant.

Aux plaintes d'un ruisseau
qui coulait en pleurant
là-bas,
la chanson d'un crapaud
se noyait dans le vent.

La nuit était venue,
je me suis dit : pleurons !
Par terre
dans le noir d'un buisson,
je me suis étendu.

Les hommes, les enfants,
les femmes, la nature,
partout,
les animaux, les vents,
tous portaient des blessures !

Que faut-il faire Seigneur ?
Tout est souffrance ici.
A moi !
Que faut-il faire ? J'ai peur !
Quand finira la nuit !

Puis le jour se leva.
Je n'avais pas dormi.
L'étoile
du matin regarda
dans le champ et me dit :

Que fais-tu là, petit ?
Tu attends les amis ?
Sur terre
il n'y a pas d'amis.
Fais comme moi, je prie

Alors j'ai essayé.
Je me suis endormi
après,
mes deux souliers tournés
à l'envers de la vie !

3

le hamac
dans les voiles

Le Ruisseau à Rebours, vagabond ruisseau froid,
commençait dans les monts, sous les grands pins velus
où sont les caches d'ours.

En jouant, pirouettant, culbutant sur lui-même,
il dégringolait de vallon en vallon,
arrivait au village en éclatant de rire
sur un lit de cailloux.

Il jasait sous le pont, se sauvait au rapide,
léchait quelques perrons, frôlait les deux quais rouges
et rejoignait la mer.

*　　*　　*

A marée basse, l'océan le buvait ; à marée haute, il le vomissait.

Comme bien d'autres ruisseaux, son lit était de poussière de roche, ses côtés de mousse verte, et son plafond de grands jeux de soleil.

Les femmes l'appelaient lavoir ; les hommes, puits.

C'était le bain des filles, le boulevard des libellules, le bateau des feuilles mortes et, à cause de son agitation, de sa vie, de son clair mouvement, le désennui de ceux qui n'allaient pas au large.

Sous les petites baies d'écumes circulaient des truites de la couleur du fond, que les enfants taquinaient, le soir à la brunante, avec des lignes à bouchons.

Le village portait le nom de ce gamin de ruisseau : A Rebours.

Un village de pêcheurs, aéré comme une barge, doux comme un temps doux, si tranquille que l'unique gendarme, oisif tout le long de l'année, s'y ennuyait à mourir, et que l'herbe poussait dans l'allée des pompiers.

Un village où l'on imagine mal la guerre, où les chevaux marchaient autant à gauche qu'à droite dans les ruelles zigzagantes.

Un village où des mots savoureux comme « beausir », « calmir », « barachois », « nordir », étaient de mode ; où l'on disait : « un poisson navigue », « espérez-moi », « la douceur » pour le sucre, où les hommes vêtus comme les cultivateurs se tenaient unis par les trous de misère et l'espérance ; où l'on se méfiait des beaux parleurs, des promesses qui passent comme des courants d'air.

Là, les hommes se fiaient à eux-mêmes, n'achetaient presque rien et se fabriquaient tout, jusqu'aux clous de bois. Ils aiguisaient leurs hameçons sur les pierres de la grève et se lavaient les mains dans le sable.

Le soleil du Ruisseau à Rebours sortait de la mer le matin et se couchait le soir dans les nids d'albatros.

Les maisons couleur d'espace, quelques-unes ramassées sur les buttes ou appuyées aux roches, d'autres debout au milieu des vallées, face et corps au vent, semblaient ne jamais se perdre de vue, comme des sœurs. Elles étaient séparées par des morceaux de jardins, des clôtures chargées de filets humides, des vigneaux (lits de broche où sèche la morue), par des carcasses de barges, la proue en l'air, le flanc pourri, sombrées dans la vieillesse.

C'est au bord de ce village, dans la maison voisine du phare, qu'est venue au monde Thalia l'amoureuse, la fille de Nérée, plus belle que le matin, forte, droite, têtue, hâlée par le nordais, taillée dans la lumière, fraîche comme la fleur et plus gracieuse qu'elle, qui, dès l'âge de quinze ans, d'un seul coup de cheveux, d'un glissement de l'œil, faisait tourner les têtes et le cœur des garçons et des hommes.

Thalia l'amoureuse, fleur inhumaine...

Voici ce qu'on dit d'elle au Ruisseau à Rebours, quand les pêcheurs au large, bien ancrés entre les deux abîmes, chacun derrière sa boîte, les lignes descendues, se décident à parler. Quand, le soir, sur les grèves, les anciens se promènent ; pour oublier l'époque où ils manquaient de pain, ils pensent à Thalia. Quand les femmes se bercent, se taisent et se rappellent, en taillant des manigots pour leurs hommes...

Elle avait passé son enfance, son adolescence et sa jeunesse dans la barge de son père Nérée, qui portait le nom de sa mère : « Fabie ».

La barge de Nérée pouvait accommoder un équipage de huit hommes. Huit pêcheurs avec Nérée étaient à l'aise sur la « Fabie ».

Ronde, bien bâtie, tête baissée, dos aplati, flanc bien offert aux souffles, combien de fois les pêcheurs l'avaient vue s'éloigner par là-bas vers Anticoste, rencontrer le mystère !

Elle savait tirer des bordées, danser, plonger, nager et surtout, comme une poitrine, savait bercer Thalia, sa dompteuse.

Nérée était un vieux pêcheur qui aimait les chansons, les histoires, les rimes, un des seuls qui, l'hiver, prenait un livre pour lire, comprenait la musique, les sermons du curé, écoutait la débâcle, les rapides, les pluies, comme des voix d'ancêtres qui lui dictaient la vie. Il était sage et fou en même temps. Pour sa fille, il rêvait... C'était un ouvrier qui lançait des vagues de soleil au ciel, pour s'amuser ; comme la mer souffle des paquets de chimères sur les quais.

Durant les longues patrouilles de silence sur la houle, il avait trop rêvé. Il croyait que les princes habitaient dans les îles, s'informaient auprès des pétrels où étaient les beautés.

C'était un faiseur de barges aussi, qui savait jouer du compas, du marteau, de la scie, du pied de roi, de la hache et de l'équerre. Sur son établi il composait des coques, rabotait le cèdre vert et parmi les copeaux surgissaient une quille, une proue, un mât. Des barres au crayon rouge, des coins bien arrondis, des bons coups de varlope, du lissage où il glissait la paume de sa main, du frottage au sablé, des fioritures parfois qu'il gossait au canif quand l'ouvrage lui plaisait, voilà qui était Nérée, le faiseur de barges.

— Hop là, montons ! criait-il à Thalia lorsqu'elle était gamine.

Et Thalia grimpait sur le dos de son père, traversait le quai, envoyait des sourires, saluait les hommes qui lui tiraient les tresses et lui pinçaient les jambes, entrait sur la « Fabie », aidait l'équipage à démêler les crocs, à trancher le hareng, à hisser les voiles. Les hommes en étaient fous. Ils l'aimaient tellement que c'était la chicane lorsque venaient les repas ; toutes les mains noires lui offraient le pain blanc.

Léonidas, le jeune en gilet, à la barre, le meilleur pêcheur de la côte, aux yeux couleur de tabac, au cou bien attaché sur de fortes épaules, l'assoyait près de lui, lui prêtait son ciré, l'appelait capitaine. Et Thalia, muette, les narines ouvertes et l'œil dans l'infini, pointait vers Anticoste où, au dire de son père, habitaient des pêcheurs riches, avec des barges blanches, des filets de lin et des câbles de soie, où les gerbes d'eau lançaient des perles de mer.

Léonidas savait, mais espérait quand même, et sentait ses chagrins s'écraser, se vider comme des éponges, quand Thalia la belle jetait les yeux sur lui.

« Marche, vogue ma barge, nous arrivons, nous arrivons.
Tout à l'heure dans les vagues tu te reposeras.
La pêche sera forte et si gros les poissons
qu'il faudra les suspendre au faîte du grand mât. »

Ainsi chantait Nérée, le faiseur de barges et de rimes, tandis que la « Fabie » voguait vers Anticoste.

Ils approchèrent de la fameuse île, un jour. En riant, Nérée passa les jumelles à Thalia et lui dit :

— Regarde.

Elle vit des barges blanches et des pêcheurs habiles, coiffés de mouchoirs rouges, dans des câbles de soie.

Léonidas aussi regarda vers l'île, puis il baissa les yeux, vaincu. Thalia souriait, les narines battantes.

— Hop là ! montons.

Mais Thalia, pour la première fois de sa vie, au lieu de grimper sur le dos de son père, n'avait pas bougé et avait rougi. Lui, s'était retourné. Thalia était une jeune fille que le printemps ouvrait.

Elle allait seule, maintenant, les cheveux en chignon, les coudes sur le corps, sans courir comme avant.

Sur le quai, des hommes à son passage mettaient le doigt à leur casquette en reculant.

Quand il n'y avait pas de pêche, les soirs d'étoiles, la « Fabie », ancrée seule dans la baie, s'agitait, clapotait, appelait. Thalia, furtivement, par le sentier du pic, répondait à l'appel, se glissait vers la grève, sautait dans une chaloupe et venait.

Sur le dos de la nuit, dans d'imaginaires voyages, maintes fois la « Fabie » emporta sa maîtresse.

En mer cette année-là, Léonidas le jeune était distrait. Il manquait ses poissons, lançait mal sa pesée, soupirait aux nuages, mêlait les hameçons. Les hommes de l'équipage se moquaient de lui.

A un retour de pêche, un midi, Nérée vit le jeune homme couché sur le ponton, la face dans son coude, qui pleurait.

Le même soir, rendu à terre, Nérée avait dit à Thalia :

— Tu ne viendras plus en mer.

— Je mourrai ! répondit-elle. Maintenant il est trop tard !

Mais le bonhomme fit à sa tête et partit sans Thalia.

C'était un lundi, quatre heures du soir. Cent barges et plus s'apprêtaient à s'éloigner. La mer était houleuse, trépidante, l'air rempli d'iode et de sel.

Quand Nérée sauta sur la « Fabie », tout l'équipage lui tourna le dos.

Alphée, son vieux voisin, lui demanda :

— Et Thalia ?

— Elle ne viendra plus, répondit Nérée.

— Pourquoi ?

— C'est une femme maintenant, fit le père en poussant sur l'homme avec ses yeux en colère.

Alphée ne répliqua point. Il s'en fut dans la direction de Léonidas, où étaient les hommes et dit à voix haute :

— S'il n'y avait pas d'enfants dans la barge, Thalia serait avec nous.

Léonidas avait bougé l'ancre avec son pied, mais il s'était retenu.

— Je ne suis plus un enfant, prononça-t-il calmement, et je suis prêt à le montrer à qui veut bien l'apprendre.

Alphée haussa les épaules et marmotta :

— J'espère qu'il ne nous arrivera pas malheur. Elle protégeait la barge.

Le départ se fit.

De sa fenêtre, Thalia les vit s'éloigner : cent barges, toutes voiles ouvertes, l'une à la suite de l'autre comme des mouettes, là-bas, vers Anticoste, où les pêcheurs sont riches, les goélettes blanches et les câbles en soie.

Le soir fut mauvais. La nuit fut pire encore. Une tempête s'éleva. Plusieurs barges retournèrent dès la première barre du jour.

La « Fabie » rentra le surlendemain avec une maigre pêche et une voile déchirée.

En route, Alphée avait dit à Nérée :

— Thalia nous portait chance. Pourquoi ne pas l'amener ?

— Elle est trop belle pour des morutiers comme vous autres, elle n'épousera pas Léonidas. Je la garde pour un pêcheur d'Anticoste. Je la cacherai.

Voilà quelle était la folie de Nérée. Dans les livres, il avait lu des histoires de fées qui dormaient cent ans en attendant le prince. Il disait à Léonidas :

— Voyons, réfléchis. Tu es un homme de semaine et c'est un **homme de dimanche** qu'il faut à Thalia, tu le sais. Quand elle **passe** dans les mouillures du jardin, les fleurs se courbent !

24

Il rêvait et rimait pendant que sa fille, Thalia l'amoureuse se languissait, pendant que l'équipage s'ennuyait au large. Décidément elle avait jeté un sort sur la « Fabie », la pêche restait petite.

— Bâtis-lui un hamac dans les voiles, si tu ne veux pas que nous la regardions, ta fille ! avait crié Alphée un soir de colère, alors que la pêche ne venait point. Il nous la faut ici dans la « Fabie », entends-tu, Nérée ?

Un hamac dans les voiles !

Léonidas avait levé les yeux et tout de suite entre les deux mâts, il avait vu en esprit se balancer dans les haubans un gros hamac en toile grise, avec des glands verts qui pendaient à la tête.

Nérée s'était mis à rire en traitant ses hommes de fous ! Mais le hamac dans les voiles lui hanta le cerveau.

Il fut posé.

Nérée, le faiseur de barges, grimpa un matin dans les cordages et suspendit le hamac en toile grise.

Plusieurs curieux vinrent examiner le rêve. Le bonhomme disait aux gens :

— C'est pour l'observation, la vigie. On a vu des animaux étrangers au large. Thalia sera l'étoile. Thalia nous guidera.

Et Thalia l'amoureuse, la poitrine oppressée par la joie, entra sur la « Fabie », regarda sa prison qui se balançait dans le ciel et y grimpa comme vers la liberté.

L'équipage s'habitua à ne la voir qu'aux repas.

Les hommes reprirent leur gaieté, Nérée, ses rimes ; et Léonidas, qui était surveillé, pêchait du côté de l'ombre, pour observer à fleur d'eau le hamac avec sa tête de sirène que la vague essayait d'engloutir.

Le soir, à la dernière barre du jour, quand l'équipage tendait le filet pour prendre le hareng et se laissait dériver, Léonidas sifflait à la lune et, vers minuit, il tirait les filets. Les poissons d'argent étaient pris par les nageoires dans les mailles d'argent. Léonidas avait les mains pleines d'argent liquide. En regardant le firmament, il criait pour que tous le comprennent :

— Je suis plus riche que ceux d'Anticoste.

Et Nérée répliquait :

— C'est de l'eau phosphorescente ; eux, c'est de l'or solide !

Et rien ne venait des voiles. On eût dit que le hamac était vide, que Thalia s'était envolée par une trouée de nuages, avec les goélands à fale jaune.

Un matin que Nérée dormait, Léonidas grimpa dans les cordages. Il voulait savoir s'il était aimé.

Alphée cria :

— Descends !

Thalia, la tête hors du hamac, murmura :

— Monte !

Nérée se réveilla en sursaut, regarda en l'air et aperçut Léonidas qui approchait du hamac.

Il prit une gaffe et, en criant de toutes ses forces, coupa les cordages.

Comme un grand oiseau gris, le hamac tomba lentement, tournoya, et des gerbes d'eau pleines de perles se mirent à hurler.

*   *   *

Aujourd'hui Nérée ne vogue plus depuis longtemps.

La « Fabie » pourrit sur la grève parmi le varech brun, les raisins noirs, les étoiles roses, les crabes roux, les crapauds et les vomissures de la mer. Des cailloux verts roulent près de son flanc et parlent comme des voix.

Tous les jeunes de la côte savent la légende de Thalia l'amoureuse et jamais, depuis ce temps, ils n'amènent les filles en mer. Mais plus d'un garçon pêche du côté de l'ombre, pour voir en esprit un hamac à la surface, entre les voiles.

Personne ne parle d'Anticoste. On évite de regarder de ce côté, où sont les goélettes blanches avec des câbles de soie...

La folie de Nérée a passé en même temps que Thalia, la fleur inhumaine, roulée avec Léonidas dans le hamac de toile !

4

les matins

Pour briser la monotonie des jours, le bon Dieu a fait cinq sortes de matins : les matins d'or, les matins gris, les matins blancs, les matins noirs, les matins rouges.

Les plus riches sont placés à l'automne, saison de la récompense.

Matins d'or chargés de soleil qui tombe à grandes coulées sur les moissons pesantes ! Matins lourds de richesses visibles, d'espérances mûres, où le courage se respire comme de l'air !

Matins où l'on reste en place, où l'on défierait les champions à la course, où la chair de poule vous court sur les bras, où l'on a peur de l'eau froide, de l'ombre, où les ongles nous bleuissent un peu.

Les premiers matins où les paysans se sanglent dans la laine, où, dans les bureaux des villes, des garçons pâles et fatigués s'attardent à une fenêtre sans savoir pourquoi et se laissent arroser de lumière. On voudrait être triste pour le plaisir de se faire consoler. Les filles parlent de leurs vacances et de leurs amours de plage. Ceux qui n'ouvrent jamais la bouche arrivent ces matins-là avec un sourire, regardent dehors et disent :

— As-tu vu ?

Les patrons intelligents prennent alors leur congé. Les touristes de première classe partent en voyage ; on les voit passer sur les routes, la gorge bien enveloppée, tête nue, un manteau épais sur le dos, des gants aux mains. Ils filent, la pipe entre les dents, et semblent avoir trouvé la route qui débouche sur l'éternité.

Pluie d'or et de feuilles !

Les enfants pleurent en couvrant leurs livres de classe, comme s'ils mettaient un voile sur les ébats de vacances. Les oiseaux, au sommet de leur art, chantent des versets inspirés.

Fins d'été, semblables à la fin d'un concert où l'extase se promène dans l'espace comme de l'encens.

On a envie d'applaudir, de crier, de courir, d'écouter, de faire le bien. Matins couleur d'épis, de moissons qu'on rentre au fenil, de fruits mûrs qu'on dépose dans des paniers de joncs.

Matins où les écureuils entassent leurs provisions de noisettes, où les orignaux laissent le cœur des bois et, en trottant, viennent sentir au bord de la civilisation.

Matins où les corneilles se comptent dans les arbres centenaires et croassent de baroques adieux.

Matins de chasseurs, de voyageurs, de travailleurs, où tout le monde envoie la main à l'été, comme à un bateau qui laisse la rade.

*   *   *

Puis, viennent les pluies d'automne, l'approche de la Toussaint, de l'Armistice. Ce sont les matins gris.

Il faut un effort pour sortir du lit, pour sortir de la maison, pour sortir de la ville. Le ciel est sale. Il pleut lentement, quelques gouttes à la fois, tristement, sans arrêt.

On a enlevé les jalousies vertes et, en posant les châssis doubles, on aperçoit des mouches gelées. On cache les vêtements d'été. Les chapeaux de paille et les costumes de bain nous font rire.

C'est l'hiver qui vient.

On débarre les coffres de cèdre où dorment les fourrures et la laine.

A quatre heures de l'après-midi, on allume les lampes : on évite la solitude. On se veut tous ensemble. On fait de la musique.

On se réunit le soir pour parler, parce qu'on a le cœur gros, comme s'il y avait un mourant dans la maison.

Dans les hôpitaux, les malades disent aux gardes :

— Reculez-moi de la fenêtre.

Il fait froid. On fait du feu. On parle de cheminots qui coucheront dehors ce soir. On relit les lettres des enfants pensionnaires.

Les amateurs de pêche ouvrent leur boîte de lignes, regardent les trôles, les hameçons, les mouches de plumes, les poissons de bois peinturlurés, comme si c'étaient des choses de rêves.

On est résigné parce qu'il le faut bien, parce que c'est le mois de novembre.

Le vent souffle, la vie est dure, c'est la montée.

Plusieurs n'ont pas le courage de suivre, c'est pourquoi le mois des morts a été placé là.

*   *   *

Puis c'est le premier matin blanc ; il a neigé. Les journaux parlent du père Noël. Il quittera son palais de glace demain. Alors c'est plus gai dans la maison. Les enfants préparent déjà leurs lettres de Bonne Année aux parents, et leurs listes au roi des jouets.

Les premières voitures d'hiver sont sorties. C'est l'époque des grelots, des veillées, des concerts, des bals, du jeu de cartes et du damier.

Décembre. La messe de minuit. « Paix sur terre »... Voilà ce que sont les matins blancs : il neige, il va neiger, il poudre, il fait froid.

Dans les journaux, on voit l'image des skieurs qui filent dans les vallons en soulevant une poussière blanche. Parfois aussi, on voit une photo d'un champ de foin et on la regarde longuement, en se demandant si cela existe pour vrai.

Dans les campagnes, les vieux chaussent leurs raquettes et, à travers champs et bois, s'en vont tendre des pièges. Les lièvres sont blancs. La neige est reine. Les enfants sculptent des bonshommes dans les cours. Les malades trouvent le temps long. Les poêles n'arrêtent pas de chauffer et de sécher le linge, et de recommencer.

Les peintres se cachent dans leurs ateliers et sur des toiles essaient de ressusciter juillet. Les rouets tournent. Les femmes tricotent. On espère. On attend la corneille.

*　　*　　*

Et un matin elle passe. On l'a vue. On se le dit. Et c'est vrai. Elle est venue. Elle parcourt les campagnes en criant la bonne nouvelle.

C'est arrivé. Les chemins défoncent. Les jours allongent. On fait une marche dans le fort du soleil, l'après-midi. Les malades disent aux gardes :

— Approchez-moi de la fenêtre.

Le magicien d'été n'est pas loin. On le guette. On compte les lunes.

On visite les arbres et, un midi, on surprend le premier bourgeon sur une branche : une petite tête verte, grosse comme la pupille d'un œil. Alors, les matins noirs apparaîtront. Ces matins de grosses pluies que nous souhaitons depuis si longtemps.

Ces sortes de matins d'avril où l'on dirait que la nuit continue, qu'il n'y aura pas de lever. Et il pleut, et la neige fond, et l'on rit en faisant les projets de vacances.

On chausse des claques ; les enfants sautent dans leurs longues bottes ; il y a de l'eau partout. Il fait sombre pendant dix jours.

On sent que la nature se prépare à la transfiguration, à la résurrection. Il fait sombre comme dans les coulisses, au théâtre, avant le lever du rideau. Mais les cœurs sont heureux, ils sentent que tout à l'heure la magie commencera, que les nuages fuiront et laisseront place au spectacle extraordinaire... Le rouge dans le ciel, le matin rouge, le lever de juin, le voilà !

*　　*　　*

Il n'y a plus de neige. Les pommiers sont en fleurs, les lilas aussi, les épousailles aussi.

30

C'est la fête des labours, des jardins, des semailles.

On peinturera les maisons. Les chaises de paille resteront sur les galeries. Les animaux coucheront dehors. La libération, les grandes vacances, les folles aventures.

Matins de voyage. On fuirait le bureau et sa routine pour se donner au premier bateau qui vous embaucherait moussaillon.

Jamais plus on ne mettra de manteaux d'hiver. Jamais plus il n'y aura de matins gris ou blancs.

On fait le grand ménage. On pousse les portes, on ouvre les fenêtres. Les enfants vont pieds nus. On entend des gens qui chantent sur les vérandas.

Le soleil est rouge. Il fait bon. On respire. On est vêtu de blanc. La féerie est commencée et apparaît l'énorme mise en scène de l'été en couleurs, avec ses oiseaux et ses plantes.

Matins rouges comme une tige de sarrasin.

Saison d'amour, de sérénité, de paix ! Le sable est chaud. A l'ombre il fait tiède. Vivre ! Tous les cœurs sont à la chanson.

Il n'y a plus de vieillards. Il y a l'été du bon Dieu et des enfants de tout âge qui font monter le grand Alléluia !

5

la paix
soit avec vous

Si vos pieds sont meurtris de marcher sur la route,
et vos bras fatigués de ne jamais finir
de lever les fardeaux ; si vos yeux épuisés
par l'aveuglant midi, cherchent un peu d'ombrage
et ne le trouvent point. Si vous ne pouvez pas
vous étendre tranquille, près du puits solitaire
où l'eau est froide et pure ; si vous vous ennuyez
tout le long des longs jours, sans ami, sans musique
sans lueur, sans amour ; si vous cherchez l'étoile,
et que l'étoile est partie derrière les ténèbres ;
si vous êtes souillés de la poussière du siècle,
des péchés de la vie, des mensonges des hommes,
vous ressemblez à ceux que le Maître a aimés,
que le Maître aime encore : la paix soit avec vous.
L'amour des malheureux est un amour sans prix,
qui fut payé jadis une très forte somme,
plus que l'argent et l'or ; il a coûté très cher,
il a coûté la croix. La paix soit avec vous.

*   *   *

Et l'homme dit au jeune homme :

— Reste si tu veux. Moi, je parlerai de douceur, parce que c'est dimanche. La semaine est finie ; nous sommes fatigués tous les deux, non ?

Le jeune homme répondit :

— Oui.

L'homme reprit :

— Arrêtons-nous. J'ai quelque chose à te dire. Avant que je commence, joue-moi une musique douce avec du ciel dedans, avec de grands oiseaux qui patrouillent la solitude au-dessus des forêts, où les hommes ne sont pas allés encore ; avec des étendues de neige blanche que la nuit roule au loin ; avec du vent froid qui virilise, si tu veux ; joue-moi quelque chose au-dessus de l'ordinaire ; conte-moi des mensonges avec ta musique ; emporte-moi au-dessus de la foule, plus loin que les lacs inconnus où boivent les orignaux ; donne des ailes à mon âme ; je veux m'évader, parce que c'est dimanche.

Après ton beau mensonge, je te raconterai une histoire vraie ; je vais essayer de la faire aussi douce que le mot : dimanche. Joue d'abord ta musique.

Et le jeune homme fit jouer sur disque un andante de symphonie.

— Maintenant, écoute mon histoire.

*   *   *

— Dans les vieux pays au bord de la mer, bâti sur les rochers, il y avait un village, une fois. Un village ordinaire, avec sa rue principale, son école, son marché, son avenue de résidences avec les carrés de fleurs en avant ; son hôtel de ville, avec les bureaux d'affaires collés autour ; ses quais au bord de l'eau ; son quartier de pauvres aussi, en arrière, avec les cabanes qui se tenaient épaule à épaule pour mieux regarder venir les malheurs. Un village ordinaire.

Il y avait une femme dans la deuxième ou troisième maison de la rue des pauvres, une femme malade, qui se tenait toujours à sa fenêtre pour voir passer les gens.

Elle était malade depuis douze ans. J'ignore si elle avait une famille ; je ne le pense pas. Elle était mariée et sans enfants.

Son mari devait être un journalier qui travaillait par sauts, par secousses, qui se prêtait de maison en maison pour faire n'importe quel ouvrage.

Autrefois, cette femme-là avait de l'argent ; mais elle avait tout dépensé pour sa maladie. Depuis quatre ou cinq ans, plus de remèdes ni de consultations ; elle ne voyait plus les médecins ; c'était inutile, parce qu'elle était incurable.

Dans sa chaise, au bord de la fenêtre, elle attendait.

Tout le monde autour disait : « Elle est finie ». On mêlait son nom déjà avec le nom des mortes.

Mais elle, la malade, dans le fond de son âme, sans que personne ne le sache, gardait l'espoir. Elle croyait en quelque chose qui surviendrait demain, plus tard, un jour. Elle était sûre de guérir. Elle attendait comme un arbre dans la neige doit attendre le printemps.

Son homme rentrait le soir, le coffre d'outils sous le bras. Pas un mot.

Il fermait la porte tranquillement, poussait son chapeau pour se dégager le front, embrassait sa femme, s'asseyait en face d'elle ; dans le fond de sa main, il comptait l'argent qu'il avait fait dans la journée ; il mettait ça sur le coin de la table, puis il s'étendait par terre, le long du mur, sur une couverte, en attendant l'heure du souper. La femme, le sourire plein le visage, se traînait dans la cuisine, mettait la nappe blanche, puis, pour ne pas pleurer, chantonnait de vieux airs de jeunesse.

Des fois, elle lui disait, en passant près de lui :

— Je me sens mieux aujourd'hui.

L'homme se retournait, essayait de dormir, en comptant les nœuds de bois dans le mur ; mais il ne s'endormait pas, parce qu'il se faisait du souci pour sa femme.

Les années se sont passées comme ça.

Un jour, c'était l'été, peut-être le mois de septembre avec des après-midi de chaleur, des moissons coupées, des beaux débris de juin ; un jour, il y eut, d'un bout à l'autre du village, une rumeur, un émoi, une excitation pas ordinaire. Une nouvelle comme un tourbillon venait d'arriver dans la place ; une bonne nouvelle que les enfants criaient à toutes les portes en courant par les rues. C'était sur l'heure du midi.

Les ouvriers, les professeurs, les étudiants, les contremaîtres, les commères, tout le monde était dehors.

Un mot passait de bouche en bouche, d'un perron à l'autre, d'un jardin à l'autre. Un mot clair, plaisant, tout en couleurs, qui faisait lever les têtes vers la lumière comme un coup de vent secoue des herbes.

Ce mot-là, c'était : LUI.

Tout le monde comprenait ce que ça voulait dire.

Lui, c'était le Maître ; celui dont on entendait parler depuis quelque temps, qui bouleversait la Galilée avec ses prodiges ; qui réfutait les savants avec un regard ; Lui, le grand charitable, sans adresse, sans argent, sans autre idéal que de soulager la misère humaine.

Il était là. Dans le bord du village. Il venait de débarquer comme un passager ordinaire, mêlé aux pêcheurs sur le sable de la grève, avec sa grande toge en laine blanche qui se roulait et se déroulait au vent. Le Maître était au village ; celui qui passait en faisant des miracles ; qui touchait les blessures avec sa main ; qui laissait derrière Lui des senteurs de paradis ; qui regardait les hommes bien droit, jusque dans le fond où sont les péchés ; qui saluait les pauvres avec ses yeux, sans jamais s'exciter ; qui disait aux lépreux : « La paix soit avec vous. » Il était là au village.

Ça s'était dit de la première à la dernière rue.

La malade, dans sa chaise, au bord de la fenêtre, entendait la rumeur dehors, sentait bien le branle-bas dans le village ; ce jour-là, son mari retardait pour venir dîner ; elle commençait à comprendre, elle aussi, que la grande visite était arrivée.

Avec ses deux mains, elle crispait les barreaux de sa chaise pour casser son énervement ; elle fermait les yeux bien fort, et se répétait :

— Il est venu ! Il est venu !

Ce midi-là, en se dépêchant le plus qu'elle pouvait, elle se lève, marche jusqu'à la grosse armoire de bois de sa chambre, ouvre le couvercle, prend le plus beau de ses châles, un châle bleu, je suppose, avec de la frange dorée, et se l'attache sur la tête, par-dessus son chignon. Elle prend sa canne, une canne de jonc taillée par son mari, un printemps, et vite, ouvre la porte, saute les marches, puis monte dans la ruelle. Elle traverse des cours malpropres, des vieux jardins déserts, longe des murs ridés comme des ruines. Le cœur lui cognait dans la poitrine, elle se dépêchait trop, aussi. Elle s'est vue obligée de ralentir, de s'appuyer, de souffler un peu ; depuis si longtemps qu'elle avait marché dehors toute seule, elle était craintive ; personne sur le chemin, personne, une chance ! Puis la voilà qui repart, marche encore ; elle entre sur la rue principale : elle n'était pas venue là depuis sept ou huit ans.

A gauche, au fond dans le soleil, elle voit venir la foule, de loin, une foule heureuse qui chante, qui rit, qui crie.

Le Maître s'en venait là-bas, à pied, dans un flot de poussière. C'était Lui.

Elle sentait qu'Il s'approchait, sans le voir encore. Elle sentait que c'était un Maître, un surnaturel, un fort, un Dieu, qui distribuait des surprises, des pardons, de l'amour tout le long du chemin.

C'était Lui qu'elle attendait depuis des années. C'était à Lui qu'elle avait pensé quand les médecins avaient déclaré : « Incurable, madame ».

Lui !

Il est là à dix verges. Elle distingue sa tête de roi qui dépasse celle des autres, avec le front large, la chevelure pleine de rayons. Il s'en vient.

Les premiers de la foule arrivent, la reculent parce qu'elle bloque le passage. A droite et à gauche elle se fait balancer. Des enfants la poussent, mais elle ne dit rien. Elle se secoue, se faufile, joue des coudes comme les autres, avance courageusement, en tenant son cœur, fonce avec toute la force d'une malade qui croit.

Il ne faut pas le manquer, faut pas. Ce serait épouvantable ; depuis douze ans qu'elle espère ! Elle le voit de proche ; c'est Lui tel que dans les rêves, mieux que dans les rêves.

Elle lui fait signe, elle gesticule, l'appelle. Il n'entend pas ; excitée par les cris, elle crie, elle hurle, elle pleure. Lui ne se retourne pas. Elle va se décourager : non. Elle s'arc-boute, serre les dents, bouscule ceux qui l'entourent, même les disciples du Maître ; mais le Seigneur continue à marcher sans la voir.

Alors, elle s'écrase par terre les mains en avant, marche sur les genoux parmi les gens qui la piétinent, tend toute son énergie vers la toge blanche qui passe, comme si c'était un radeau pour les noyés.

Enfin !

Sa main touche la houppe du vêtement du Maître, le bas de sa robe.

Aussitôt, une douceur qui ne se décrit pas, descend dans ses membres.

Elle est guérie !

Elle reste là, assise par terre, hébétée, comme si elle sortait du tombeau.

Mais il se passe quelque chose. Le Maître s'est arrêté ; la foule avec Lui ; Il se retourne, regarde, revient sur ses pas et dit :

— Qui a touché mes vêtements ?

Ça y est. La femme est prise. Quoi dire ? Quoi faire ? Il s'est aperçu que quelqu'un venait de toucher ses vêtements, parce qu'une vertu venait de sortir de Lui.

— Qui a touché mes vêtements ?

Les disciples répondent : « Ecoutez, la foule vous presse ; c'est difficile à dire ».

Mais non. Lui continuait de chercher avec ses yeux la personne qui l'avait touché.

Pauvre femme ! Toute petite, toute tremblante — il me semble la voir — elle s'est approchée de Lui, les yeux baissés, le châle dans la main, les cheveux défaits par les bousculades de la foule. Elle dit en s'écrasant sur ses talons :

— C'est moi.

J'imagine que là, il s'est fait un silence. Les disciples la toisaient sans parler. La foule se calmait un peu. Le Maître a ouvert la bouche pour parler.

Avec une tendresse infinie, il a répondu à la femme, en souriant comme un Dieu doit sourire :

— Va en paix. Ta foi t'a guérie. Va.

Il faisait soleil au-dessus de la foule ; le vent passait sur les visages ; quelques oiseaux au loin piaillaient sur les toits. Ça devait être un beau moment. Quelques minutes après, c'était fini.

La multitude de gens avait disparu plus bas, entraînant le Roi vers de nouvelles merveilles.

Tout le branle-bas s'éteignait petit à petit.

La rue était déserte. Le village reconduisait son Dieu en chantant.

Elle, la femme, sans grouiller, pleurait assise dans le sable, les yeux dans la direction de l'Homme qui lui avait redonné sa vie.

Il tournait le coin de la grand-rue là-bas ; elle ne savait pas quoi dire. Elle dit :

— Merci, Monseigneur !

Puis, les bras en l'air, en courant comme une fillette, les joues rouges de bonheur, le front déridé, l'âme délivrée, elle est redescendue vers sa misère, en criant de joie.

Son mari l'attendait sur le perron de la porte. Il venait d'arriver. D'un coup d'œil, il s'était aperçu du départ de sa femme. Il tremblait, devinant ce qui lui était arrivé. Il guettait la ruelle qui débouchait sur la grand-rue.

Comme de fait, quand la femme guérie est arrivée chez elle quelques minutes plus tard, elle a trouvé son homme, assis sur la marche de la porte, qui pleurait tranquillement la face dans son coude, se sentant gêné de regarder le miracle avec ses yeux d'ouvrier.

6

pourquoi?

Ce n'est pas le marin qui a les meilleurs yeux.
Des navires sans nombre se frappent aux écueils.
Qui a les meilleurs yeux ? Un enfant ? Une femme ?
C'est peut-être un malade chez les tuberculeux
qui va mourir bientôt, qui donnerait sa vue
aux marins de la mer, en échange de rien ;
et qui serait content de se priver de voir,
afin que les navires ne frappent plus l'écueil.
Mais cela est un rêve. On ne peut pas changer
des yeux pour d'autres yeux. Cela est impossible.

Est-ce bien l'ouvrier qui a les meilleurs bras ?
Pour charroyer la pierre, déplacer les fardeaux ?
Qui a les meilleurs bras ? Serait-ce un cul-de-jatte ?
Car les faiseurs de ponts, les perceurs de montagnes
n'ont pas toujours le corps fait pour tirer des poids ;
souvent ils sont petits, malades et chétifs ;
moi, je connais des prêtres, gênés, embarrassés
d'être bâtis en lions, qui donneraient leurs bras
aux ouvriers des ponts, aux ouvriers des routes ;
puisqu'ils vivent d'esprit, ils s'en passeraient bien.
Mais cela est un rêve. L'échange est impossible.

Pour écrire des livres, l'ouïe n'est pas nécessaire ;
l'écrivain sans silence n'est pas un écrivain.
Les poètes sincères, pour ne jamais entendre
que le bruit de leurs âmes, donneraient bien aux sourds
leurs deux oreilles et tout ; et les sourds sortiraient,
travailleraient dehors, seraient heureux d'entendre.
Mais cela est un rêve. Les écrivains entendent
et souvent ça leur nuit. Ils en sont malheureux.

Pourquoi les beaux cheveux vont-ils aux religieuses ?
Et les plus belles voix aux guides des montagnes ?
Et les tailles de reines à des filles du peuple ?
Et les doigts de pianistes à d'obscurs fonctionnaires ?
Des grandes amitiés à d'affreux criminels ?
Et des âmes d'artistes à des tailleurs de pierre ?
Et tous ces cœurs de saintes à d'ignorantes femmes ?

Après la création des hommes et de la mer,
du feu et des étoiles, Dieu, sachant l'avenir,
a détourné la tête. Il a pris la Beauté
et s'est fermé les yeux. Il l'a jetée en l'air,
au hasard dans le temps, comme du sable au vent.
Voilà pourquoi peut-être, les riches sont si pauvres,
et les pauvres si riches. Ce qu'Il fait est bien fait.

7

poème
à l'automne

C'était l'automne. Il y avait des senteurs de moissons dans l'air. Au-dessus du fleuve, une grosse lune, dorée comme un balancier d'horloge, reflétait la couleur des épis.

Toutes les fermes dormaient le long de la route. Pas de lumière nulle part, pas un cri d'oiseau, rien. Même le chien de garde, au bout de sa chaîne, derrière la maison à lucarnes, gisait dans la cour comme un mort.

Tout ce qu'il y avait de vie, c'était le vent qui rôdait. Un petit vent du sud, doux, faible, qui promenait les odeurs de sarrasin, de pommes, de choux, jusque dans les chambres à coucher, par les fenêtres ouvertes. A la clarté de la lune, on voyait se balancer les rideaux et frémir les feuilles.

Dans les champs, toutes les gerbes de blé étaient debout, alignées quatre par quatre, le grain en l'air ; on aurait dit un campement de nomades. Elles s'étendaient aussi loin que l'œil pouvait voir. Un enfant de la ville les aurait crues habitées.

C'était une belle nuit de septembre, une nuit faite pour reposer les travaillants, les paysans qui peinent au soleil tout le long du jour. C'était une nuit chargée de rêves pour les enfants, pour les vieilles, pour les amoureux, pour les malades ; une nuit où les gamins rêvent aux grands nuages d'automne chargés de musiciens avec des violons. Une nuit tranquille comme dans l'église,

41

avec des lampions par-ci par-là, au plafond bleu. Sûrement une nuit sans histoire...

Dans la cuisine de la maison à lucarnes, cette nuit-là, un jeune homme se faufilait entre les chaises, sur la pointe des pieds, en cherchant les objets devant lui avec ses mains, comme font les aveugles. C'était le fils du cultivateur, qui, dans l'obscurité, pour ne réveiller personne, se dirigeait vers la sortie. Il clencha la porte, l'ouvrit, mit le pied sur le perron, referma la porte et aspira longuement la nuit fraîche, comme pour donner du courage à son cœur qui battait. Il prit son bicycle appuyé à la maison, le poussa dans l'allée, l'enjamba vivement et, bien à droite, en longeant les arbres, disparut comme un voleur sur la route qui conduit à la ville.

La tête redressée, les oreilles immobiles, le Saint-Bernard, les yeux à moitié endormis, avait tout vu, tout compris. Il écoutait le cric-crac de la chaîne qui s'éloignait. Puis, quand le bruit eut cessé, il se leva, griffa le sol, mordit son attache et s'assit tristement comme ceux qui ne peuvent rien faire ; face à la lune, il sila comme un malade, annonça à la ferme qu'un malheur venait d'arriver, que le petit maître Antonio avait déserté la terre.

Pédale, pédale, pédale.

A mesure que le jeune laissait les senteurs de la belle nuit, il descendait vers la lumière.

Déjà, les poteaux allumés qui annoncent l'approche de la ville ; puis, de loin, l'impure illuminée qui attire dans sa fournaise les étourdis papillons. Le premier garage, les premières annonces de restaurants, des noceurs allongés sur les galeries, des filles qui se promènent en claquant du talon comme en plein midi, des ivrognes qui chantent à un deuxième étage. Pas croyable. Enfin, le gars de campagne se désennuierait !

Il s'arrêta à l'ombre d'une haie. Debout, son bicycle entre les jambes, il ajusta sa cravate, épongea son front dans un mouchoir rouge à carreaux, replaça sa casquette et, le cœur battant, prit le grand boulevard.

Tout en roulant, il se donnait des coups de pieds dans la paume de la main pour frotter ses souliers.

Au restaurant grec il entra, les pouces dans ses poches.

De la fumée bleue ; de la musique bleue ; des murs bleus, des visages bleus d'ennui, d'alcool. Des clients lâches, louches, gris, mous comme des boules de laine, écrasés sur les bancs tièdes.

Que se passa-t-il ?

Dix minutes plus tard, il sortit en claquant la porte. Ecœuré, harassé, ahuri, fatigué, il prit son bicycle, courut de côté en le poussant les bras tendus, et, comme un coursier qu'on enselle, il sauta dessus ; debout sur les pédales, à pleine vitesse, il replongea dans la nuit.

Bientôt, il était sur sa route ; le fleuve avec une grande traînée d'or, coulait sans s'agiter. Personne autour, que lui. Rien que la paix ; que la terre parfumée de sarrasin, de choux et de pommes qui l'enveloppait de ses senteurs ; que les grands arbres immobiles, les bras au ciel, des bras chargés de nids ; que des milliards de feuilles qui frémissaient ; qu'une vieille maison sans lumières avec des fenêtres ouvertes et des rideaux qui valsaient à la brise ; qu'un chien St-Bernard, les oreilles pendantes, qui branlait la queue en voyant monter, vis-à-vis la boîte aux lettres, son maître, son petit maître, le mouchoir rouge à carreaux dans le fond de sa main.

*　　*　　*

Le lendemain, tout le monde fut au travail comme d'habitude. Personne ne s'était aperçu de la course nocturne du fils.

Le midi, après le dîner, le père, délicat comme un homme qui sait la souffrance humaine, en bourrant sa pipe, avait dit :

— Tu rentreras le chien à la grange ce soir, pendant que j'y pense. Il ne couchera plus dehors ; ce n'est plus sa place.

— C'est bien.

Puis, Antonio avait passé par le salon, pour ressortir sur la galerie d'en avant, avec un coussin et une peau de mouton sous le bras. Il se fit un lit dans le parterre entre deux bouquets d'herbes, et s'endormit les poings sous l'oreiller, face à la brise.

L'après-midi se passa normalement.

Au souper, le père répéta :

— N'oublie pas le chien. Tu l'attacheras dans la tasserie.

— Parce qu'il fait trop froid dehors ? avait demandé le fils, machinalement.

— Non. Et le père réfléchit. Non. Les animaux sont bien dehors. Mais le chien a commencé à siler. C'est mieux de le cacher, la nuit. Il s'ennuyera moins.

Et il ajouta :

L'automne, c'est dangereux pour les jeunes chiens de rester dehors. Ceux qui silent la nuit, c'est parce qu'ils s'ennuient. Il n'y a rien de plus bête qu'un chien qui s'ennuie. Il commence par siler, puis il hurle, puis il se débat, puis s'il réussit à se détacher, il part à la fine épouvante. Il suit une piste, saute le clos, traverse les terres, entre dans le bois. Cherche. Il marche tant qu'il n'est pas rendu où il veut aller. Le pire, c'est qu'il ne revient pas. S'il revient, il n'est plus le même ; c'est un chien dangereux, un chien sans cœur. Pour éviter ça, on les cache pendant que leur crise se passe.

Le père, voyant qu'il avait visé juste, et, ce soir-là, étant d'humeur à parler, rappela ce souvenir :

— Quand j'étais jeune homme, j'avais un chien. Un policier. Un beau. Avec un nez noir, des oreilles en triangles, une grosse fale grise. Un policier champion.

Un matin, en passant près de l'étable, j'aperçois son collier vide, au bout de sa chaîne toute tordue par terre. Il s'était sauvé. Personne ne l'avait vu. On s'est informé aux voisins. Inutile. Il avait déserté. J'ai laissé faire. Je me suis dit : « Il va revenir ».

Un mois plus tard, j'avais affaire à un moulin à scie, à seize milles de chez nous. Je m'y rends. Qu'est-ce que je rencontre dans un petit chemin de terre, bien loin de chez les colons ? Mon chien, attelé avec un autre chien misérable. Des voleurs de bois le menaient. J'ai arrêté. J'ai sifflé. Il ne m'a pas reconnu ; pas seule ment regardé. J'ai dit au gars : « C'est mon chien ». — « Si vous voulez l'avoir, qu'il m'a répondu en sacrant, prenez-le, mais payez-moi les deux moutons qu'il a égorgés l'autre mois ». J'ai continué sans rien dire. Mon chien était devenu un loup. C'est pour ça que je ne voudrais pas que la même chose arrive à notre

St-Bernard. Tu comprends ? Faut pas qu'il déserte la terre, parce que la terre perdrait un bon travaillant ; parce que, loin d'elle, il ne ferait rien de bon.

Le souvenir s'achevait là.

Le vieux, à la dérobée, examina son fils, pour voir s'il comprenait.

Antonio sortit. La soirée s'annonçait aussi belle que celle de la veille. Déjà la même lune, frottée comme une timbale neuve, était levée.

Antonio était seul. Il prit sa course à travers les framboises, marcha longtemps comme pour sortir de sa souffrance, alla jusqu'à la limite de la terre, fit lentement le tour des bâtiments. Quand il déboucha dans le sentier des vaches, à l'autre limite du domaine, il faisait brun. Il ne voyait plus à dix pieds devant lui. Une chauve-souris lui fit baisser la tête. Puis il s'approcha de la niche où le St-Bernard guettait. Il arracha le clou qui retenait la chaîne et dit à l'animal :

— Suis. Avant que tu courailles.

Cette même nuit-là, le jeune homme accroupi sur ses talons dans sa chambre fermée, la face dans sa catalogne, médita longtemps cette grande leçon que le père venait de lui donner : il faut s'enchaîner pendant la crise.

Et des senteurs de sarrasin, de pommes et de choux pénétraient par la fenêtre ouverte, venaient jusqu'à lui, l'enveloppaient, le caressaient et lui pardonnaient.

Les leçons sont si fortes, tirées de la terre, que les paysans peuvent bien savoir vivre. Toutes les saisons enseignent à qui veut apprendre. Et la saison d'automne est la saison d'enseignement, parce que c'est la saison qui donne.

Ah, la saison des blés ! Les blés que l'on pile gerbe par gerbe dans le plus beau coin du fenil !

On les entasse les uns par-dessus les autres, comme du bois qu'on corde. Un par-dessus l'autre, tant qu'il y en a, plusieurs pieds d'épais jusqu'au faîte de la grange. Le dernier épi, on le lance sous le pignon. C'est d'ordinaire un enfant qui va le porter parce que c'est haut ; sur les entraies, avant de redescendre, il regarde les nids fanés d'hirondelles de grange, sans y toucher, sans y toucher. Il ne faut pas toucher à ça.

Ah, la saison des blés !

La terre est déserte, bouleversée comme un champ de bataille, sillonnée en tous sens par les roues de voitures, par les coups de pelles et de râteaux. Tout est gratté, ramassé, caché.

Restent seules, dans le vent gris, les petites feuilles blessées, qui courent en tourbillons pour rejoindre les oiseaux migrateurs, mais qui s'accrochent aux clôtures, et retombent, et se résignent, et attendent.

*　　*　　*

Un matin de pluie, le paysan apparaît au bout de sa terre.

Il a mis son coupe-vent de cuir, ses longs bas de laine et ses bottes à grosses semelles. Ses deux chevaux sont sanglés, dans une couverte d'étoffe ; et, lentement, commencent les labours, à pas réguliers, en tournant comme des aiguilles d'horloge. Le paysan fait la dernière toilette à la terre comme à une morte. Il la couvre de beaux sillons droits, égaux, fumants, épaule à épaule. La pluie tombe froide comme une lame, sans arrêt, et les deux chevaux tournent au pas, le nez dans le poitrail en tirant la charrue. Et la charrue s'enfonce, déchire, sépare.

Dans le sentier toujours neuf, le paysan suit, le cou dans les cordeaux. Il regarde ses bêtes. Il regarde la terre. Rien ne presse, il a tout le jour devant lui, toute la semaine.

L'eau glisse sur ses mains nues. Sa face est rouge. Il marche ainsi des milles et des milles, sans jamais sortir de son champ. Comment ne pas s'attacher à sa terre, qu'il piétine et renverse, et replace et déplace des dizaines de fois, de mai à octobre ?

Il comprend la parole du Maître : « Demandez et vous recevrez ; frappez et l'on vous ouvrira. » Il comprend parce qu'il la pratique. Il demande à la terre de toutes les manières, dans toutes les positions que peut prendre son corps : debout, en bénissant quand il sème ; à genoux quand il sarcle ; à quatre pattes, la face dans la poussière, quand il transplante ; les bras au ciel quand il dépouille les arbres à l'automne ; assis quand il fauche ; en marchant quand il laboure, comme fait le prêtre qui prie le long de son église.

Et la terre répond à sa supplique. Elle donne parce qu'on lui a demandé de toutes les façons, sans jamais se décourager ; parce que, même si elle ne répondait pas tout de suite, le paysan reviendrait le lendemain lui demander encore. A la fin, elle ne peut pas refuser ; elle obéit. Elle ne peut faire autrement ; elle est presque forcée, parce qu'en plus il y a, dans la maison, le soir, cette fameuse prière en famille, si difficile à éviter pour le bon Dieu.

La terre répond à chaque demande, des milliards de fois sur chaque terre, dans des milliards de terres à la fois.

*   *   *

Aujourd'hui, c'est l'automne.

Il a plu.

Le paysan a labouré jusqu'à la brunante, vers cinq heures.

Alors, il a dételé au bout d'un sillon. Il est revenu chez lui, en croupe sur la plus grosse de ses bêtes, celle qui connaît le mieux le chemin. A grands pas, les bêtes sont rentrées. Elles savaient que la crèche était bourrée de foin sec, et que la mangeoire, au-dessus de la crèche, était pleine de grains d'avoine ; une avoine douce, longue, pesante, riche, à l'écorce dure pour bien garder la poudre blanche qui donne la soif.

De son côté, le paysan est attendu chez lui. Il a secoué ses pieds sur la gratte de fer et, en ouvrant la deuxième porte, il a senti l'odeur du souper.

Il a déposé son coupe-vent humide sur une chaise, le dos au poêle, puis nu-bas, il a grimpé à sa chambre. Il est redescendu dans des vêtements secs, de la laine du pays, propre, épaisse, qui serre un peu les épaules et le ventre. Alors il a soupé. Le fruit de son travail est là dans son assiette. Il prend le temps qu'il faut. La lumière est bonne dans la cuisine. La table est longue et gaie avec sa nappe de toile blanche. C'est l'automne. Il a faim. Il pleut dehors et l'homme mange.

Puis après le souper, il fume, prie et va dormir.

L'automne, la nuit est froide, noire, avec des chansons de pluie sur la couverture de tôle. Le paysan dort sans s'agiter, comme dorment ceux qui savent vivre, qui ont marché aux grands vents, qui connaissent le bienfait des sommeils, la valeur des jours, la sagesse du Maître, la noblesse de leur travail.

Heureux destin que celui du cultivateur, qui s'en va avec sa vie humble et inconnue, mais profonde et tranquille comme un andante.

8

la place
du marché

Vous prenez la rue tranquille de la cathédrale, la rue des fleurs, où s'alignent des maisons propres, derrière de grandes rangées d'arbres.

Puis vous traversez le parc et vous tombez dans la rue des magasins et des affaires, où les autos se croisent, où les voyageurs en hâte sortent des hôtels, où les filles bavardent devant les vitrines chargées de brillants et de colifichets.

Continuez de marcher jusqu'au bout de ce pavé grouillant.

A droite, vous tournez, et, soudainement, vous apparaît sous le soleil un immense carré avec des étalages, des estrades, des préaux, des voitures roues à roues, la plupart coiffées d'un garde-soleil en toile blanche, des toits sur poteaux, des bâtisses, des frigidaires énormes, etc.

C'est là, la place du marché.

Bouche de la ville, menu des citadins, halte des marche-toujours, terrain de chasse des femmes affamées qui, rampantes, viennent la nuit cueillir le long de la chaîne de trottoir, les fruits pourris, comme des chiens vagabonds fouillent les poubelles des allées désertes ; promenade des amants miséreux, rendez-vous des sans-adresse qui, assis sur des boîtes, font des confidences à la lune ; proie des exploiteurs ; plateau de mangeaille qui, selon sa pauvre ou abondante charge, fait des guerres ou des fêtes.

De là partent toutes les maladies et toutes les santés.

Si ce temple n'existait pas, tous les autres disparaîtraient.

Tribune immuable, gérante de la vie corporelle, déesse puissante dont personne ne peut se passer qui a vu devant elle à genoux les rois et les goujats.

Dès les petites heures, en même temps que l'aurore, s'ouvrent ses comptoirs.

Les senteurs de légumes, de fleurs, de fruits, de viandes mêlées à celles des poissons vous viennent par grandes bouffées.

Tout un monde s'y presse : ménagères qui soupèsent et marchandent ; voleuses au sac léger pendu au poignet ; gamins-valets attelés à une voiturette qui suivent les bourgeoises ; rêveurs jamais éveillés, qui vont le ventre plein et la bourse garnie, se demandant avec des yeux remplis de pitié pourquoi il y a des habitants sur terre ; vieillards retraités, mains dans le dos, aux yeux qui pleurent toujours et qui se plongent dans la verdure des champs comme pour se laver.

Citadins jeunes et vieux, pauvres et riches, passent et repassent. Grassettes petites bourgeoises, souriantes et ignorantes, convaincues que les cultivateurs n'ont rien à faire ; longues, sèches femmes jaunes, de teint et de caractère, qui crient au vol quand l'habitant fait deux sous de profit ; marmaille, chômeurs, curieux, brutes, crocodiles, filous, fous, ombres, miséreux, et tous les autres attirés par les étranges couleurs des produits de la terre, par le tiraillement dans le ventre, par l'obsession du dîner de demain, par la loi tout simplement. Là, nous sommes tous frères.

Derrière les pyramides de nourriture, les vrais maîtres de cette vie, les cultivateurs, font de petites observations philosophiques. Ils savent bien qu'ils sont les rois. S'ils le voulaient, ils plieraient en deux cette multitude et, pour une tranche de pain et un paquet de légumes, ils échangeraient des droits d'aînesse ou sortiraient tous les bijoux de la cité.

Athlètes et scrofuleux, monstres et prix de beauté, savants, magistrats, laideurs, snobs et hypocrites, grimaceux, dégoûtés, précieux et fats, soit personnellement, soit par l'intermédiaire de domestiques anonymes, passent par là, se penchent et demandent à manger.

Mais les habitants savent aussi que l'homme ne peut se passer de l'homme. C'est pourquoi ils sourient, s'amusent et observent.

Il y a tellement de couleurs à cet endroit quand frappe le soleil que les sens ont du plaisir. Des gens regardent les paniers de provisions, examinent les poules à travers les barreaux des cages, glissent leur main sur le nez des chevaux en passant, caressent les nichées de jeunes chiens à vendre, flattent le céleri avec leurs doigts, plongent leur main jusqu'au poignet dans l'avoine dorée pour le plaisir de toucher l'avoine, enfouissent leur nez dans des paquets de fleurs, mordent un raisin ou une pêche. On en voit même — ce sont peut-être des désertés — qui salissent leurs bras sur la boue des voitures, parce qu'ils savent que les blés poussent dans cette boue-là.

La place du marché ! Là, se parle une langue universelle : celle du ventre. Comme des animaux, les petits dieux de la terre doivent manger.

* * *

Assis sur une planche qui dépasse, les paysans, derrière leurs comptoirs, fument silencieux.

Un peu à l'écart, le pied sur une boîte, l'habitant maquignon, avec ses huit chevaux attachés aux roues de sa voiture, guette les acheteurs, les laisse circuler autour des bêtes, et faisant mine de rien, des réponses malignes plein la bouche, il observe tout ce monde sous ses sourcils blonds.

Et les clients tâtent les flancs des chevaux à vendre, ouvrent les gueules pour savoir l'âge, soupèsent les sabots, examinent les cornes avec un canif, boxent les épaules, le poitrail, reculent de trois pas, réfléchissent ; et le vieux, de sa boîte, suit les manœuvres de chacun, raconte sans se presser, quand on lui demande, l'histoire, la provenance et l'usure de chacune des bêtes.

Dans le marché ouvert, derrière son comptoir où s'étalent les viandes, gesticule le gros boucher populaire, serré dans un tablier blanc taché de sang.

51

Un gros bonhomme qui parle fort et rit fort, déplace les quartiers de bœuf comme si c'étaient des morceaux de bois sec.

Il taille juste, aiguise son couteau avec habileté, pince drôlement le papier de soie avant d'y déposer la viande, coupe la ficelle en regardant ailleurs. Un gros boucher resté enfant, qui fait tourner la scie et la hache comme un magicien, qui sert tout le monde avec courtoisie et patience, qui fait son métier en riant, avec une façon de dire : « Merci, madame », presque en chantant.

Sur la place du marché, il y a aussi des habitants fermés, aux visages durs, sans sourires, qui visiblement détestent les citadins. Ils servent en bougonnant, prennent beaucoup de temps à faire la monnaie, regardent dix fois la balance, dix fois l'acheteur, dix fois l'argent qu'on leur présente. Il y a des avares, des vocations manquées chez les habitants.

Mais on y rencontre également les racés, les vrais, les beaux vieux ridés sur le côté du rire, qui mettent leur casquette sur l'oreille. Yeux bleus, moustache épaisse, main généreuse, ils donnent une pomme, une pincée de cerises aux enfants, des choux et des navets aux Sœurs de la Charité qui passent avec de grands paniers pour les pauvres. Ils causent volontiers, tranquillement, poliment, et retournent vers leurs prairies en marmottant :

— Tout de même, les gens de la ville, des bonnes gens !

Presque tout le monde aime les campagnards, envie leur amitié avec le soleil et le vent.

Ils sont jaloux de tous ces secrets cachés derrière deux yeux malins, car les habitants ont vu des naissances d'animaux, (des bienvenues, s'ils en ont souhaitées !) Ils ont participé aux miracles de la terre, assisté à des drames ; ils lisent dans les astres ; plusieurs sont pêcheurs ; ils sont presque tous cordonniers, bouchers, plombiers, menuisiers, vétérinaires, souvent barbiers en plus et parfois excellents chasseurs.

Un arbre, s'ils connaissent ça ! Une plante empoisonnée aux feuilles hypocrites et belles, le chiendent qui étouffe avec ses longues ficelles, et une tempête, une vraie avec le grésil et le hurlement des plaines, et les poudreries, et l'enfer de froid qui veut tuer ; les animaux dangereux et les animaux doux ; et les matins de printemps avec les glaçons qui dégouttent, et les corneilles qui arrivent, et les soirs d'été, et les après-midi d'automne !

Ce qu'ils en ont vu, les habitants !

Ce qu'ils pourraient en raconter des histoires, même à ceux qui viennent de loin et qui ont tout vu, tout su, tout lu.

S'ils se donnaient la peine de dire une seule de leurs journées, les « globe-trotters » apprendraient que voyager, ce n'est pas aller en longueur, mais en profondeur.

Leur métier est d'agir, c'est pourquoi les habitants ne parlent pas beaucoup.

Ce qui les occupe, c'est la vie, l'ordre, le normal.

Mais, quand tombent les fléaux et les guerres, les vagues de paganisme, les culbutes de régimes, les démences des peuples, qui est là, debout, sans broncher comme un arbre, et qui apaise les cris avec sa grande main ?

C'est lui le paratonnerre, l'inchangeable, le fidèle, l'éternel pétrisseur des mottes qui fournit le pain et le vin.

La place du marché est une école pour ceux qui auront à guider les hommes, car là se rencontrent, dans la réalité et le vrai, les gens des pavés et les gens de la nature.

9

dans la mauricie

Tourmaline et Niclaisse étaient deux grands amis,
bûcherons de métier.
A la coupe, à la drave, dans la neige ou la pluie,
on les voyait aller.
Tourmaline était gai, ricaneux, un peu fou,
mais d'abord travaillant.
Niclaisse était plus vieux, renfermé, marabout,
et bâti en géant.
Les deux aimaient la bière, le canot, l'aventure,
les belles filles aussi,
dépensaient leur argent au fur et à mesure,
sans se faire de soucis.

*   *   *

On les laissait tranquilles, au chantier, dans la rue,
au cabaret, partout,
à cause de Niclaisse qui avait frappé dru
un soir dans le mois d'août.
On avait assailli Tourmaline ce soir-là,
et on l'avait blessé
à la tête. Niclaisse avait sauté dans le tas,
avait failli tuer.

54

Ne parlons pas
de ça.
Un soir de février qu'ils étaient dans le bois,
Tourmaline partit
porter une commission au camp de Ben Sirois,
en pleine Mauricie.
Il enfonça sa tuque, sangla son coupe-vent,
roula son chapelet,
sauta sur ses raquettes et hop-là en chantant,
entra dans la forêt.
Il ne revint jamais. La tempête s'éleva,
l'entoura, l'avala,
le prit dedans sa bouche et le garda pour elle ;
ou peut-être le souffla
au-dessus des nuages dans la porte du ciel ?
On ne peut savoir ça.

*   *   *

Après bien des recherches dans la neige, par en bas,
au chantier on rentra.
Niclaisse, tout seul, debout, se regardait les poings et jonglait
sans broncher.
Il fit signe aux amis avec sa grande main
de le laisser jongler.
On obéit. En silence les hommes se retirèrent.
A grands coups de cognée
rongèrent les épinettes jusqu'au soir ; puis rentrèrent
et furent tous effrayés :
deux haches manquaient au camp, deux couvertes, deux gaules.
Niclaisse s'était sauvé
comme vers un rendez-vous. Sa poche sur l'épaule,
il avait déserté.
A son tour par là-bas, sur ses raquettes fines,
le long du Saint-Maurice,

il s'en était allé rejoindre Tourmaline,
dans le grand précipice,
vers la coulée magique
où le vent des mystères
compose des musiques
en tordant sa crinière.

10

le vendeur de rêves

En pleine rue du Peuple, à deux pas du trottoir, entre les hôtels somptueux et les cafés bruyants, il y avait un magasin, un petit magasin bizarre, poussiéreux, difforme, enfoncé derrière une grosse vitrine remplie de marionnettes, de cartes de rêves, d'horloges sans chiffres, de globes imaginaires et de vieux outils.

On y pénétrait par une porte ronde qui, en s'ouvrant, agitait un carillon de petits grelots.

A l'intérieur, sur de nombreuses tablettes de bois, étaient entassés pêle-mêle d'étranges peintures, des cloches, des livres mystérieux, des morceaux d'étoiles, des poupées vêtues en chair de fruit, des musiques extraordinaires, des fioles de bonheur, des masques vivants, des jeux et des bibelots merveilleux, des bocaux de verre où nageaient des poissons bleus.

A l'entrée du magasin pendait cette inscription : « L'Atelier des Rêves ».

Ce qu'il était connu, ce petit établissement !

De tous les coins du pays, de cent lieues à la ronde, on venait le visiter.

Quelques-uns y entraient pour marchander un élixir, acheter une histoire, échanger un songe, écouter un chœur ou prendre un verre d'absinthe, lire un conte de fée, admirer une toile, repasser une légende, afin d'oublier un peu la dure vie.

Le propriétaire et créateur de toutes ces merveilles était un homme comme un autre, mais plus pâle, parce qu'il travaillait la nuit afin de remplir ses commandes.

Pour les malades, il inventait des mensonges féeriques. Il dessinait des costumes d'Arlequin et de Pierrot pour le théâtre des orphelins. Pour les rois, il faisait des vers. Il ramassait dans les labours des histoires de courage et les donnait aux cultivateurs. Avec le bruit que font les semelles battant le pavé, et le vent qui coule sur les toits la nuit, il composait des chansons pour les pauvres. Pour les jeunes filles, il taillait des robes dans des clartés de lune. Pour les guerriers, il avait un répertoire martial comme un torrent. Tendre comme un gazon était son répertoire pour les amoureux. Même pour les idiots, il possédait des divertissements.

Fillettes, grands-pères, charpentiers, religieux, belles dames, financiers, étudiants, tous venaient le consulter et lui confesser à l'oreille :

— Je m'ennuie !

Et lui répondait en se touchant le front avec son doigt :

— Attendez...

Puis, dans son escabeau, il grimpait, fouillait sur les tablettes, soulevait des paperasses, cueillait un rêve dans les casiers, l'enveloppait de rouge ou de bleu, y piquait une fleur et disait :

— Voilà, allez-vous-en.

Ou s'il n'avait rien de prêt, il disait :

— Repassez dans trois semaines, j'aurai le rêve que vous désirez, je vais m'y mettre cette nuit même.

Et il travaillait, le pauvre fou !

Il faisait parler les brins d'herbes, sortait un monologue de la hache d'un menuisier ou du crayon d'un fonctionnaire, racontait la naissance d'une goutte de miel ou d'une aile d'oiseau, emprisonnait des rayons de couchant, causait avec les feuilles ; il s'imaginait assis sur un nuage, faisant un tour de continent afin de rapporter une histoire pour sa clientèle.

Il créait des rêves, exaltait des âmes comme le grand large exalte les voiles d'une goélette.

Un matin, il se sentit malade dans le cœur, à cause d'une grande peine que des ingrats, qu'il croyait ses amis, lui avaient faite. Sa souffrance accumulée depuis quelque temps craqua sourdement.

Il leva la tête, jeta un regard de fièvre sur les tablettes où s'entassaient les rêves qui avaient mangé ses nuits. Il bondit, cassa sa plume, renversa ses pots de peinture, prit une fée par les pattes et l'écrasa à terre. Armé d'un pic, il creva les yeux d'un Polichinelle, désarçonna Don Quichotte, arracha la mante du Chaperon rouge, déchira le masque d'un petit danseur, broya sous son talon un régiment de soldats de bois. Il cassa des symphonies, éventra des tambours, perça des toiles, courut en arrière de la boutique, fit jouer une serrure, s'empara d'un rêve caché dans un coffre, le glissa sous son manteau, revint sur ses pas, sortit une allumette qu'il frotta dans le visage d'un bouffon de ses créations, mit le feu à son magasin et longeant les ruelles en criant, il se sauva.

Après avoir marché jusqu'à bout de souffle, il se laissa tomber sur un lit de foin au bord d'un champ, derrière la ville, en serrant sur son cœur la boîte de rêve qu'il avait emportée.

Le lendemain, des jeunes gens affolés accoururent à l'emplacement de l'atelier. A genoux dans les ruines, à deux mains dans la cendre chaude, ils essayaient de déterrer des morceaux de rêves, comme des vautours dans les cimetières cherchent des os avec leurs griffes ; des filles aussi cherchaient des parcelles de chefs-d'œuvre ; des femmes sans évasion pleuraient, les bras au ciel ; et des vieillards, du bout du pied, remuaient le néant, tâchaient d'apercevoir un petit morceau de féerie ou un mensonge calciné, mais non... rien.

Le peuple, laissé à la brutale réalité, devint sombre et malheureux.

Personne n'osait plus regarder l'aurore. Les fantaisies étaient mortes. Les enfants pleuraient pour avoir des jouets. Les ouvriers ne fredonnaient plus. La laideur, comme une inondation, gagnait les quartiers l'un après l'autre. Les jeunesses, sans poésie, s'abrutissaient tranquillement. L'obscurité descendit sur la terre, comme si le soleil eût été peint en noir.

Et là-bas, quelque part à la campagne, le vendeur de rêves, installé dans une petite maison blanche sous une rangée de pins rouges, près d'un ruisseau froid, vivait son rêve, « son rêve », cette maison à la campagne imaginée jadis par lui, dont le plan avait été jalousement caché au fond d'un coffre bien à l'abri du marchandage. « Son rêve » : ce jardin vrai, ces outils réels, ce cheval qui marchait, ces poules qui pondaient, cette route de terre qui passait à sa porte charroyant la paix, à la journée longue.

Il se reposait enfin ! Il n'avait qu'à écouter la nature lui raconter les plus belles histoires, qu'à suivre les abeilles dans le fond des corolles.

Finies les rimes, les corbeilles de gaieté, les brassées d'illusions et les colis de rêves, les courses au puits difficile pour désaltérer la foule, les nuits sans sommeil, tourmentées et tuantes. Il n'avait plus à se saigner le cœur pour donner du courage aux voisins.

Depuis un mois déjà, il était libre, débarrassé, chez lui, tranquille, à cultiver la bonne terre.

Une tombée d'après-midi qu'il travaillait à une plate-bande dans son jardin tout en fumant sa pipe, il vit venir dans le chemin un homme courbé et sale, vêtu en paysan, suivi d'une femme maigre et de quatre enfants.

L'homme s'approcha du vendeur de rêves et lui dit doucement en enlevant sa casquette :

— Monsieur, nous sommes vos voisins de l'autre côté de la montagne. Voudriez-vous nous prêter votre cheval et vos outils ? Une tornade est venue chez nous, la nuit dernière, et a écrasé la maison et la grange.

— La plus jeune est malade, ajoute la femme en tordant les deux bouts de son châle et en montrant sa fillette de cinq ans qui venait de s'étendre dans l'allée humide, la joue et la chevelure sur le sable.

L'homme qui semblait doux comme l'ivoire et solide comme lui, attendait une réponse en fixant le vide dans le détour de la route.

Le vendeur de rêves laissa ses outils, enjamba la clôture, ramassa l'enfant, ouvrit la porte de sa demeure et dit avec bonté :

— Mais, entrez, vous êtes chez vous.

Il leur donna sa maison et tout ce qu'il y avait dedans, c'est-à-dire qu'il leur donna son dernier rêve.

Ce soir-là, sans se retourner, il s'en fut à la gare, convaincu plus que jamais que la terre est une vallée de larmes, que donner est encore la première et la seule bonne chose au monde.

Il sauta dans un train, descendit à sa ville d'autrefois.

En faisant de grands pas, il parvint dans les ruines de son ancien magasin, fouilla une partie de la nuit à travers les décombres. Finalement il trouva son enseigne : « L'Atelier des Rêves », toute noircie et tordue, l'accrocha à un bout de planche et attendit le jour.

Au matin, on l'aperçut debout dans la cendre, fatigué et superbe derrière un comptoir improvisé, refaisant des colis, bâtissant des histoires, mêlant des couleurs, alignant des accords.

De temps à autre, il criait aux gens qui passaient sur le trottoir :

— Une fois, c'était un fou...

Et les passants, comme touchés par une baguette magique, sentaient la fin de leur deuil. Partout dans leur être jaillissaient des jets de rires et des éclats de joie. Ils se touchaient du coude, dépliaient leur dos, jetaient un œil en haut, en avant : le ciel était redevenu bleu, la route pleine d'espoirs et les minutes semblaient tinter comme des grelots.

11

quand il marchait pieds nus

Quand il marchait pieds nus, des cailloux dans ses poches,
un lasso sur l'épaule, des coupures aux genoux,
du vent dans les cheveux et du soleil au front ;
quand il marchait pieds nus, conduit par ses yeux purs,
et qu'il voyait un prêtre, un prêtre avec la barbe
et la soutane blanche, les sandales de cuir
et le parler étrange, qui arrivait de Chine
avec ses passeports ; ou du pays des neiges
où sont les Esquimaux et les chiens à grand poil ;
quand il avait vu ça, il se cachait, pleurait,
souhaitait ce destin d'exilé volontaire
dans des endroits sans noms, sans chemins et sans Dieu.
Il rêvait à cet homme aux dévouements immenses,
qui avait vu l'Afrique, la lune qui aveugle,
les Arabes, les Noirs, les lépreux et les palmes ;
qui avait vu le Nord, les igloos et les phoques,
l'aurore boréale et le vent éternel,
les six mois de ténèbres, les six mois de lumière.

Quand il marchait pieds nus, des cailloux dans ses poches,
il avait vu, un jour, passer un garde-feu ;
la chemise kaki, les lettres rouges dessus,
les hameçons de pêche piqués dans le chapeau,
bottes imperméables, qui servent de fourreau
au long couteau de chasse. Sac au dos, inconnu,
vivre seul dans les bois, faire la pêche en canot,
porter à la ceinture la longue-vue qui ferme
comme une caméra ; monter les tours branlantes
plus hautes que les arbres ; scruter les horizons,
faire la vigie, attendre ; et boire dans l'écorce,
et manger sans fourchettes, apprivoiser des ours,
prendre des loups au piège ; venir très peu en ville,
ne plus savoir parler, mais savoir regarder,
car leurs yeux sont profonds, à ces hommes des bois.
Son lasso sur l'épaule, le petit va-nu-pieds
avait rêvé aux lacs que personne n'avait vus.

*   *   *

Quand il marchait pieds nus, son lasso sur l'épaule,
il regardait souvent les trains qui s'en allaient,
et l'homme en salopettes, celui avec les gants,
le drapeau dans la poche, les lunettes au front,
la montre dans la main, qui faisait des signaux
à la locomotive, qui changeait les aiguilles,
sautait sur le wagon dans l'échelle d'acier,
pendu par une main, et puis qui s'éloignait
comme un dompteur de monstres. C'est à lui qu'il rêvait.

*   *   *

Quand il marchait pieds nus, il était allé voir
le cirque du village, un jour durant l'été.
Il avait vu les clowns pirouetter dans le vide,
plonger dans le filet, rebondir sur les cordes,

marcher sur les trapèzes, se lancer comme des fous
jusqu'au plafond des tentes. Il avait vu les lions
sauter dans les cerceaux, les éléphants valser,
et les serpents dormir au cou de leur maîtresse.

Quand il marchait pieds nus, ce qu'il en avait vu !
Sans parler des pompiers, qui s'habillent en marchant
dans leurs longues voitures, le poignet dans l'échelle,
et qui s'en vont au feu, qui risquent et se dépêchent
de présenter leurs corps à la flamme, à la mort ;
sans parler des soldats, des marins, des oiseaux,
de tous ces immolés, qui font un mur épais
pour arrêter la vague qui s'appelle souffrance,
qui s'appelle misère, qui s'appelle la haine,
aussi vulgarité, surtout, surtout veau d'or !

*   *   *

Alors il a grandi, celui qui s'en allait
le lasso sur l'épaule, les coupures aux genoux ;
et il s'est dit ceci : tous mes héros d'enfance
avaient une mystique, une raison d'effort,
un but, un univers, un drapeau, une idée ;
et ils s'y accrochaient, ils avaient un amour
au-dessus des humains, au-dessus du visible.
Le prêtre, c'était Dieu ; l'homme des bois, la nature ;
le soldat, sa patrie ; l'artiste, la beauté ;
l'ouvrier, le bien-être ; le paysan, le pain ;
le bandit, la puissance ; et le bouffon, le rire ;
le professeur d'école, l'infinie charité.
Qui n'a pas de mystique se sent bien inutile.

12

ce vendredi-là

A grands coups d'ailes, le printemps passe de ferme en ferme. Il fait clair de bonne heure et, pêle-mêle avec les notes d'Angélus, le vent promène des rayons plus doux que le velours des pêches.

Par les portes ouvertes, des bouffées de parfums entrent avec des carrés de lumière.

Des lustres de soleil pendent aux toitures et s'égouttent en faisant des perles.

De chaque côté de la route, l'eau roucoule sous les feuilles de glace.

Des dentelles vertes apparaissent sur la crête des fossés.

La terre montre son dos. Le ciel rit.

Les hommes, mains nues, scient le bois sentant la gomme.

Les enfants se font des trottoirs dans les flaques d'eau.

Des bêlements sortent de l'étable ouverte.

Le fleuve charrie les débris d'hiver.

Des corbeaux aux plumes froides continuent vers le nord.

La nature chante ses psaumes. C'est un jour de magie.

C'est le printemps.

Le châle bien serré sur les oreilles, une paysanne se dirige vers la couche-chaude, les bras pleins de petites boîtes de terre, d'où sortent des têtes de céleri.

Passant près d'elle, un râteau sur l'épaule, son garçon lui dit :

— J'ai fini de nettoyer la cour.

Sur la galerie, une petite fille berce sa poupée ; elle observe les oiseaux qui pirouettent dans l'orme du parterre, et guette si des plumes vont tomber.

C'est le printemps.

Autour de la ferme, les hommes vont et viennent, chacun de son côté, sans se dire un mot.

Ils pensent à des choses qu'ils voient et qu'ils ne voient pas. Des choses qui se disent difficilement.

Plusieurs paroles de l'Evangile sont toutes fraîches dans leur cœur parce qu'ils suivent la retraite tous les soirs. Et inconsciemment, ils pensent à l'énorme histoire qui est arrivée à l'Homme il y a des siècles.

La porte de la boutique est ouverte. Là sont les râteaux, l'établi, les pelles et la brouette.

Assis dans le soleil, le fils raccommode de vieux attelages.

Le père passe par là, regarde et continue. Il veut être seul, et respecte aussi la solitude de son fils.

Il sort de la cour, tourne du côté du nord, entre dans la prairie, marche pesamment. C'est au ruisseau qu'il ira.

Le silence se déroule devant lui jusqu'au bout de la terre. Soudain, son esprit retombe aux choses intimes, aux choses du Vendredi Saint. Des bribes du sermon d'hier soir lui courent dans le cerveau malgré lui. Il est seul et il pense, en zigzaguant pour éviter les trous d'eau.

— Ça devait être une matinée de même, avec du soleil à plein sur les toits, dans les routes, dans les cours, avec des senteurs de gazon comme aujourd'hui. Il devait faire beau. C'était le printemps.

Et le vieux repasse en lui-même la passion du Christ.

— Hier soir, songe-t-il, quand le jour a baissé, ils sont arrivés, un groupe, avec des bâtons, des pics, peut-être des haches aussi ; ils sont arrivés à Lui dans le jardin, avec des fanaux.

Lui, priait bien tranquillement avec ses amis. Quand Il a vu la lueur, Il s'est retourné. Il a aperçu les visages qui L'épiaient ; des visages qui devaient être laids, parce qu'ils avaient peur. Quand on s'apprête à faire une chose pas correcte, on a toujours peur.

Il s'est levé, Lui, puis Il a dit : « Qui cherchez-vous ? » Des voix ont crié : « Le Nazaréen. » Il a répondu : « C'est moi. » Il ne s'est pas caché ; Il n'a pas eu peur, parce qu'Il n'était pas coupable.

« C'est moi », qu'Il a dit, franc et net.

Plusieurs ont dû reculer devant sa réponse : « C'est moi. »

Judas le noir s'est avancé, a levé son fanal, je suppose, au bout de son poing, puis il a dit en Le regardant dans les yeux avec un sourire : « Salut, Maître. »

L'Autre avait une voix douce, il paraît. Il a dit : « Qu'es-tu venu faire ? »

Judas s'est approché, a ouvert les bras, a pris la tête de l'Homme dans ses mains, puis il L'a baisé sur la joue. Ç'a été sa réponse. Ç'a été le signal aussi.

Dans le temps de le dire, les suiveux étaient collés sur le Maître, comme des mouches sur un carreau de sucre.

C'est là que Pierre a sorti son glaive de sa robe et qu'il a coupé l'oreille d'un des gars. Il a bien fait. Mais le Maître a dit : « Serre ton glaive. Cela n'est pas nécessaire. Laisse arriver ce qui doit arriver. »

Puis là, ils L'ont attaché, ils L'ont amené. Où donc a-t-Il passé la nuit ? Où a-t-Il couché hier soir ? En prison, je suppose, sur quelque dalle froide, ou dans une cour de palais ? Attaché comme un animal ? Sais pas.

Ce matin, Il s'est fait trimbaler. Des « questionnages », des « bousculages », des risées, des « promenages » pour rien, d'un seigneur à l'autre, qui se le renvoyaient comme on se renvoie une balle.

Personne ne voulait le juger, mais tout le monde voulait sa mort. Personne ne pouvait dire : tu as fait ci et ça et ci et ça ; mais ensemble, ils criaient : « La mort ! »

Je ne sais pas, mais parmi ceux qui criaient : « Crucifiez-le », celui qui criait le plus fort, le poing en l'air, la face méchante, l'écume à la bouche, c'était peut-être un ancien borgne, ou un ancien paralytique que le Maître avait guéri. Ça, l'histoire n'en parle pas. On ne le sait pas. Mais ç'aurait pu arriver. Ça arrive des choses de même.

Un cultivateur permet à un passant de coucher dans sa grange ; au matin, en se levant, sa grange est en feu, le gars s'est sauvé. Ça arrive, des drôles de remerciements, des fois.

Il y a des hommes de même, qui brûlent ceux qui les dépassent, qui n'admettent pas qu'un homme puisse avoir de l'allure, parce qu'eux n'en ont jamais eu.

Ce qui est pire qu'un mauvais riche, c'est un mauvais pauvre.

Parmi ceux qui criaient : « Mettez-Le à mort », il devait y avoir un ancien malade que Lui avait guéri. On ne sait pas.

Puis, c'était le printemps. Il devait faire beau comme aujourd'hui. Souffrir quand il fait mauvais, ça adonne mieux. Mais souffrir quand il y a du soleil, c'est plus dur.

Et le vieux continue d'avancer dans le chemin qui mène au ruisseau, tandis que son esprit, dans le Chemin de la Croix, va d'une station à l'autre.

*　　*　　*

A la maison, le fils, assis dans le soleil, raccommode des attelages. Et voilà que sa petite sœur vient faire coudre sa sandale qui est brisée. Quand la petite chaussure est réparée et que le fils retombe seul dans l'avant-midi, il se parle. Au Vendredi Saint qui monte dans la campagne, il dit :

— Ça me fait penser... Il en avait, des sandales, Lui aussi ? Des vraies sandales, non pas fabriquées comme celles de la petite, mais des vraies sandales : une semelle qui collait sur le talon en arrière, puis des cordons qui passaient dans le gros orteil. Je ne sais pas quelle sorte de cuir c'était. C'est avec ça qu'ils marchaient dans le temps. Lui, Il était chaussé de même, quand ils L'ont arrêté. Il s'est laissé amener, le fameux soir, sans dire un mot. Il faisait des traces dans le sable, des traces de sandales ; les gars suivaient, Le bousculaient, en effaçant les traces de sandales derrière Lui. Ç'a été la première fois qu'on a effacé ses traces. Ça dure depuis, effacer ses traces.

Ce n'étaient plus des disciples qui L'entouraient, ni des malades, ni des vieux docteurs avec des cahiers à la main, ni des hommes du peuple qui venaient écouter la Lumière, ni des femmes qui avaient des faveurs à demander : c'était une cohorte fournie par les Pharisiens, des gens payés pour faire ce qu'ils faisaient, des durs de cœur qui obéissent à ceux qui leur donnent une paye, qui font n'importe quel ouvrage sans réfléchir, qui arrêtent un Dieu comme on arrête un bandit.

Le Maître, en sandales, marchait au milieu, sans savoir où on le conduisait.

Je ne sais pas s'Il ne s'est pas retourné pour voir ? Peut-être qu'Il essayait de reconnaître quelqu'un parmi ceux qui suivaient, parmi ceux qui se tenaient debout sur le bord du chemin ?

Personne. Il n'y avait personne de ses connaissances. Il était seul. Ça doit être épouvantable dans ces moments-là, se voir tout seul !

Quand on est deux encore à penser la même chose ; quand on est deux à souffrir la même souffrance ! Deux soldats meurent de soif au désert ; deux aviateurs sont pris dans une coulée de montagne, deux pêcheurs sont pris dans leur barge en pleine tempête, c'est épouvantable, mais ils sont deux, toujours !

Ce n'est pas la même chose, ils se partagent la misère en deux ; ils se supportent rien qu'à se regarder. Si les missionnaires se sont rendus jusque chez les Esquimaux, c'est parce qu'ils marchaient deux par deux, peut-être ? Deux colons crèvent de faim sur leur lot, ils sont deux, ça s'endure mieux. Mais Lui était tout seul. Il s'est laissé conduire devant le grand prêtre ; il aurait pu... mais non, Il ne l'a pas fait... lever le petit doigt seulement... mais non, Il n'a pas voulu.

A la porte du palais, dans la cour, il y avait des serviteurs qui s'étaient allumé un feu, parce que le temps était froid. Sans parler, ils se chauffaient, accroupis autour du feu ; ils devaient penser à l'homme qui venait d'entrer. La portière aussi se tenait là depuis quelques minutes. Elle fixait une des personnes qui se chauffaient en face d'elle. Tout à coup, elle lui demande : « Tu n'es pas un des engagés de Celui que l'on questionne ? » La personne répond en regardant le feu : « Non. Je ne le connais pas. » C'était Pierre, le premier, le grand ami du Maître. Il était assis par terre, jambes croisées ; il roulait ses mains en évitant les regards qui se tournaient vers Lui.

Il était gêné. Un étranger l'examine comme il faut, des pieds à la tête, puis lui dit tranquillement : « Tu n'es pas un de ses hommes ? Il me semble que je t'ai déjà vu avec Lui ? » Toujours en fixant le feu, Pierre répond : « Connais pas. »

A ce moment-là, brouhaha dans la salle du palais : des bruits de sandales qui glissent sur un plancher uni, une assemblée qui se disperse.

Un des serviteurs s'approche de Pierre : « Je t'ai déjà vu avec Lui dans le jardin. » Pierre répond : « Vous vous trompez, je ne connais pas l'homme dont vous parlez. » Un coq s'est mis à chanter. Le jour se levait.

Les gens de l'assemblée sortaient.

Pierre se retourne du côté de l'escalier. Ses yeux rencontrent les yeux du Maître, dans le commencement du matin ; il a dû baisser la vue le premier ; il réalisait l'énormité de la faute qu'il venait de commettre ; il aurait voulu rentrer dans les ténèbres, loin, dans le fond de la terre, mais le jour montait tranquillement pour lui faire honte.

Il s'est levé. Il a traversé la cour en se faufilant près des colonnes. Il me semble le voir : il est sorti du terrain, puis il s'est mis à courir en face de lui, n'importe où, mais loin où il n'y a pas de monde. « Poussons-nous, cachons-nous ! Je ne veux plus me remontrer à la face des autres, jamais ! Courons. » Il a dû courir. Il a dû s'asseoir quelque part dans un lieu isolé. Essoufflé, malheureux, impuissant, il a pleuré. Il fallait qu'il pleure. Il a dû pleurer beaucoup. Pourtant c'était un vieux pêcheur accoutumé, un homme dur, Pierre. Il pleurait, ça devait être grand, ça lui faisait du bien à lui.

Il fallait ça, parce qu'il pleurait pour l'autre aussi que l'on trimbalait, qui n'avait pas le temps de pleurer.

Quand il fut sorti de l'assemblée, le Maître a dû remarquer les traces de son ami Pierre dans le sable. Il savait où il était allé.

— Ça devait être un avant-midi plein de soleil de même, continue le père qui marche dans son champ, là-bas.

Il tire sa montre. Elle marque onze heures et demie. Il songe :

— Onze heures et demie. Je retourne pour dîner. Moi, je m'en vais dîner, mais Lui, ce vendredi-là, Il n'a pas dû dîner beaucoup. Il avait faim ? Où était-il rendu à onze heures et demie ?

Il sortait de la ville par quelque ruelle, je suppose, pour prendre un chemin de campagne qui mène à la montagne.

Les gardes lui avaient mis une croix sur l'épaule, une croix de douze pieds de long à peu près, par huit de large. C'est toute une charge, une vraie croix ! Je ne sais pas quelle sorte de bois c'était, par exemple. De l'épinette ? De la pruche ? Non, c'est trop pesant. D'ailleurs, ils ne doivent pas avoir de pruche dans ces pays-là. De l'érable ? Je ne pense pas. Du hêtre ? Peut-être du chêne ? N'importe. C'était du gros bois pas équarri, pas varlopé. Embouveté un morceau dans l'autre, avec les nœuds qui faisaient des bosses. Pesant. Du bois fraîchement bûché, c'est toujours pesant.

Ils Lui embarquent ça sur l'épaule, puis marche ! Traîne par les rues devant tout le monde, au bout du fouet comme un animal ! Marche ! Ça prenait un bon homme. Lui, Il ne devait pas être bien musclé, parce que c'était un homme de tête ; mais Il mesurait six pieds. Il était assez carré ; pour qu'Il s'écrase une couple de fois, c'était pesant.

C'est là qu'un travaillant qui s'en allait chez lui pour dîner, un gros gaillard, les bras à l'air, avec de la corne dans les mains, des mains rouges, râpeuses comme de la brique, s'est arrêté pour regarder passer ça. Il n'a pas dit un mot. Il s'est faufilé parmi les soldats ; il a arrêté le convoi ; il a pris la croix dans son poignet ; il l'a levée ; il a fait signe au condamné de sortir d'en-dessous ; il s'est attelé à la place, le cou dans le milieu du X. Il l'a traînée pour donner une chance à l'autre, un bout, un bon bout. Le Maître devait suivre en arrière du travaillant.

Parce que ça allait trop vite, le pauvre Condamné mettait sa main droite sur la croix, pas loin de l'épaule du type, pour se soutenir en même temps.

71

L'autre continuait sans sentir de fatigue. C'était un gros gars fort, accoutumé, une épaule large, faite pour les affaires pesantes.

Le pied de la croix fouillait dans le sable, traçant un petit chemin de poussière. Marcher, ce n'était pas forçant pour lui ; les gardes suivaient sans rien dire, le fouet dans le coude.

C'était honnête et délicat ce que le travaillant avait fait là. Simon, qu'il s'appelait. Un homme accoutumé, fort ; des muscles gros de même ; un cœur gros de même aussi. Il ne doit pas regretter aujourd'hui d'avoir retardé son dîner de vingt minutes.

Et le père, lourdement, s'achemine vers sa maison. Il voit de loin sa femme, à genoux près de la couche-chaude, qui plante du céleri. Que pense cette mère de famille qui travaille les mains dans la terre ?

— Pauvre femme ! C'est à elle que je pense !

Un jour, son garçon était grand comme ma petite fille. Aujourd'hui, il a trente-trois ans. Quand Il était petit, sa mère devait lui dire : « Tu seras un homme. Je vais t'enseigner ce que c'est. » Elle devait l'asseoir sur ses genoux quand il était jeune, lui conter des histoires de la vie. Par délicatesse, Il faisait semblant d'écouter, d'être surpris, mais dans le fond, il connaissait son destin.

« Quand tu auras trente ans, qu'elle devait Lui dire, il faut que je sois fière de Toi. Tu seras solide. Une ligne droite, un but. Il faut que Tu me fasses honneur. » Lui, laissait parler sa mère, parce que c'était sa mère. Ça devait se passer de même.

Aujourd'hui, Il a trente-trois ans. Pauvre femme ! C'est à elle que je pense !

Il s'est fait salir, parce qu'Il a toujours été propre.

Il s'est fait cracher au visage, parce que ses lèvres disaient des choses de douceur.

Ils lui ont traversé le front avec des épines pour tuer ses idées, parce que ses idées étaient grandes.

Ils lui ont mis une robe de bouffon sur le dos, parce qu'Il avait l'air d'un roi.

Ils ont percé ses mains, parce que ses mains faisaient des miracles.

Parce qu'Il venait donner un coup d'épaule à tous les hommes, pour Le remercier, les hommes lui ont écrasé une croix sur l'épaule.

Parce qu'Il montrait aux hommes à prier, les hommes hurlaient des blasphèmes dans ses oreilles.

Il a dit le mot amour, l'écho a répondu : haine.

Il recevait des coups de fouet à tour de bras, parce qu'Il avait dit : « Aimez-vous. »

Pour finir, ils lui ont piqué le cœur à travers les côtes avec une lance pointue. Un cœur de Dieu. Pauvre femme !

Elle L'avait voulu grand. Ç'a été le plus grand.

Pas un écrivain n'a écrit la moitié de sa force.

Pas un soldat ne s'est privé comme Lui.

Pas un forçat n'a enduré ce qu'Il a enduré.

Pas un pèlerin n'a marché comme Lui.

Tous les cerveaux qui étaient devant Lui, c'était comme des labours ; à pleine main, Il a semé la bonne semence. Mais les hommes n'ont rien germé ; ce n'est pas la faute du blé, c'est la faute de la mauvaise terre.

Pas un vivant n'a aimé comme Lui, parce qu'Il a pardonné cent, mille, des mille fois.

Elle L'a voulu grand. Ç'a été le plus grand.

Aujourd'hui, ses paroles sont là. Il me semble que ça se passe tout de suite à midi. Il me semble que Lui, avec sa croix, va passer en avant de la maison pour se rendre sur la montagne en arrière, dans le rang. Parce qu'aujourd'hui encore, il y a des Judas, des Barabbas, des Pilates, des Hérodes, des voleurs, des savants avec des livres, des curieux, des mous, des tièdes, des lâches, des nuls, des médiocres.

Une chance qu'il y a des Cyrénéens qui aident, des Pierre qui regrettent, des Thomas qui s'assurent, des Madeleine qui cherchent, des Paul qui se choquent.

Pauvre femme ! C'est à elle que je pense.

Je sais ce que c'est, son enfant, son propre enfant ! Quand même c'est un homme de trente-trois ans, c'est dur. Ça prend du courage, faire ce qu'elle a fait, voir ce qu'elle a vu, souffrir ce qu'elle a souffert. Il avait su choisir sa mère, parce que Lui, c'était un Dieu. Il ne s'était pas trompé.

*   *   *

Ce vendredi-là, on dîna presque en silence.

Le père dit quelques mots au sujet du pont au ruisseau ; la mère, de la couche-chaude ; le fils, des attelages.

Chacun gardait dans sa tête les choses intimes, les choses qui ne se disent qu'aux vents des prairies, ou à l'odeur du printemps, ou aux rayons d'avril.

Autour de la table, la famille échangea des phrases comme celles-ci. Le père :

— Vous avez beau y aller. Moi, je vais garder.

La mère :

— Faudra arriver de bonne heure à l'église.

Et le fils :

— Il va faire sombre, encore, après-midi.

Et chacun prit son côté. La journée était douce ; les hommes aussi. Le Vendredi Saint, c'est la fête de la douceur. On imagine mal la dureté, ce jour-là.

Vers trois heures, la mère et le fils pénétrèrent dans l'église pour le Chemin de la Croix.

En voyant les murs en deuil, les statues voilées, la foule se repentant dans l'après-midi, la mère murmura entre ses lèvres, pour elle toute seule : « Pauvre femme ! »

Et le fils, dehors, éteignit sa cigarette. Le feu tomba dans une flaque d'eau. Il dit : « Fini. »

Au même moment, là-bas, sur la ferme, le père passait dans la cour. Il s'arrêta, tira sa montre, et dit :

— Trois heures. Ça y est. Là, ils L'ont tué. Sur la montagne, trois croix se lèvent. Lui, est au milieu. Il y a du sang qui coule le long du bois. La terre est fraîche pelletée autour.

Le soir s'en vient. La nuit sera froide. La Vierge est là, au pied de la croix, avec une couple d'autres femmes.

Un morceau d'éponge traîne par terre. Pas loin, trois ou quatre gars, assis dans le flanc de la montagne, tirent au sort une robe rouge. Ils sont habillés en gardes. Avant de redescendre, ils s'amusent un peu. Pourtant, ils sont fatigués, mais il faut qu'ils s'amusent pour ne pas être obligés de parler de la chose indicible. L'un essuie sa lance avec une poignée de feuilles sèches.

Au bas de la montagne, des curieux sont arrêtés au milieu du chemin. D'autres personnes s'en retournent vers la ville.

L'affaire est finie. Le soir s'en vient. Ils ne L'ont pas manqué. Ils ont tué la douceur.

De retour du Chemin de la Croix, le fils dit ces paroles à sa mère :

— Une chose m'a frappé dans le procès. Hérode demandait au condamné ses qualifications. Et le Christ n'a pas dit un mot. Nous autres, quand quelqu'un nous demande d'écrire nos qualifications, nous n'avons pas assez d'une page. Nous autres, les moucherons gonflés d'orgueil. Après un silence, il ajouta ceci :

— Ecoutez, maman. Si le Christ revenait sur la terre, ici dans la province de Québec, je pense qu'on le crucifierait encore une fois, hein ?

Et, bien après, sa mère répondit simplement :

— Pauvre femme !

L'affaire était bien finie.

A la ferme, on soupa sans parler beaucoup.

La nuit vint sur la terre. Une nuit d'avril avec des senteurs de sève.

Le père sortit pour lire dans le temps. Les nuages étaient partis. Il faisait doux. Il s'arrêta au milieu de la cour pour humer.

A droite, au loin, c'était la forêt. Il lui sembla voir une croix qui dépassait la crête des arbres.

A gauche, bien au fond, c'était la ville ; il pensa à la cour de marbre, à la foule, à Hérode qui interrogeait distraitement, en tournant ses bagues, un accusé qui ne répondait pas.

Un bruit de petite chute lui venait de la prairie. C'était l'eau qui courait dans les rigoles. Le paysan aspira une grande bouffée d'air, les yeux sur la crête des arbres, et il rentra chez lui.

Le fils, dans sa chambre, au deuxième, regardait un carré d'étoiles par sa fenêtre. Il était debout, la main sur la toile, et il dit :

— Je comprends pourquoi on voit si bien les étoiles, c'est parce qu'il y a la noirceur. Je comprends pourquoi Lui est si brillant à travers les hommes ; c'est parce qu'on est de la noirceur.

Puis il tira la toile, et se coucha.

13

l'albatros

Au fond de la mer il y a des montagnes, des ravins, des villes, des cimetières.

Il y a des épaves dans la mer, dans le creux, parmi les joncs aux grands doigts.

Il y a des hommes dans la mer. Des femmes aussi, qui dorment sur les éponges gonflées.

Il y a des enfants dans la mer. Plusieurs n'ont pas de nom.

Pour couvrir tout cela, il y a des vagues sur la mer. Des vagues froides, longues, bombées, qui avalent les rayons de lune. Il y a des crachats aussi, des écorces, des lettres déchirées et des fleurs à la dérive.

Il y a des oiseaux au-dessus de la mer. De grands oiseaux blancs avec des yeux comme des gouttes d'eau. Des oiseaux sans voix, qui tournent en rond, le bec ouvert, qui piquent soudain dans les flots immenses, les ailes collées le long du corps comme deux bras, qui volent un grain de viande et remontent au soleil se faire sécher en claquant des ailes. Des ailes humides, qui bruissent en s'égouttant.

Il y a des grèves autour de la mer. Des coquillages et du sel. Et de vieux marins, quelquefois, qui ne voguent plus...

Ils sont là sur les côtes, taillent des goélettes dans un morceau de bois, font des voiles avec des mouchoirs, tressent des câbles avec trois brins de paille.

Des vieux cuivrés et silencieux, qui saluent les nuages, font des signes aux vaisseaux-fantômes, et sentent les orages.

Des vieux qu'on a débarqués, mais qui sont repartis seuls en esprit, dans un voyage sans escales.

Il y a du soleil sur la mer et des vieux, au bord, qui le regardent descendre dans l'eau.

Dans un village de la Gaspésie, il y avait un enfant malade, sensible comme une petite fille, qui cachait ses béquilles quand les gamins passaient sous sa fenêtre en chantant.

Il était triste. Un jour, après avoir vu un oiseau mort, il avait dit à sa mère :

— Un oiseau mort n'a plus peur de rien.

La mère avait pleuré.

Refuser de vivre, c'était inviter la mort. Et elle tournait autour de lui.

Les médecins ne se prononçaient pas sur son cas, branlaient la tête et s'en allaient.

Un vieux marin à sa retraite, qui n'avait rien à faire que de voir passer la mer du haut de son pic, résolut de le sauver.

Un après-midi de soleil, il cacha un vieux petit livre dans sa poche, prit l'enfant sur ses épaules et dit :

— Montons.

Sur une couverture, il installa le petit face à la mer, sortit son couteau de marin et dans un morceau de bois gossa une proue de navire.

Doucement, très doucement, il lui parla :

— Ça va bien ?

— Oui, ça va bien.

— Nous sommes deux inconnus ?

L'enfant approuva.

Le vieux était allé à l'école du silence. Il expliqua la mer, les mouettes, les fous de basan, les merles à pattes rouges, le pétrel — cet oiseau des tempêtes qui marche sur la houle, le moineau — ce petit criard qui ne vient jamais sur les hauteurs, le pingouin — ce dégénéré qui a désappris à voler, parce qu'il n'a jamais eu à souffrir, à se battre, à se défendre, mais qui est bien puni, puisque deux moignons d'écaille ont pris la place de ses ailes.

Après avoir expliqué toutes ces choses qu'il avait vues, le vieux se recueillit et dit tranquillement :

— Maintenant, Jean-Yves, je vais te parler du plus grand oiseau que j'aie connu.

— Lequel ?

Avec beaucoup de noblesse, l'homme dit par deux fois :

— L'albatros.

Puis il ajouta à voix basse :

— L'oiseau infirme.

L'enfant pâlit, l'autre continua :

— Des gens te prennent en pitié, en bas, hein ?

L'enfant pâlit davantage et ne répondit point.

Le vieux poursuivit :

— L'albatros, l'oiseau qui s'enfarge dans ses ailes quand il est sur terre, l'oiseau ridiculisé qui vient rarement parmi le monde, parce qu'il ne serait plus capable de repartir.

L'enfant fit une grimace qui voulait dire : changeons de sujet.

Le vieux s'en aperçut et dit en s'approchant du petit :

— Ecoute, écoute la suite, c'est la suite qui est importante. Ecoute.

Puis il se tut un instant. Sa figure s'illumina, sa voix devint grave :

— L'oiseau infirme, oui, mais l'oiseau qui niche dans l'abîme aussi, qui dort dans le soleil, qui tourne à la frontière des vents, le grand solitaire qui nettoie l'océan, qui pense pour ceux qui ne pensent pas, qui guette pour ceux qui ne guettent pas, qui fait disparaître les déchets des navires, les viandes qui flottent, les choses qui saliraient la mer...

Le vieux, debout, continuait en criant à la mer :

— Le géant qui n'a besoin de personne, qui pique à travers les orages, qui vise la lumière, qui plane, l'oiseau qui passe dans le bleu comme une croix blanche...

L'enfant avait relevé la tête vivement. Du fond de son âme montait un goût qu'il n'avait jamais connu.

— J'en ai vu un, une fois.

Et le vieux prit son temps, se rassit, se calma.

— A un de mes premiers voyages en mer, sur un trois-mâts, j'en ai vu un.

Il continua de parler en taillant sa proue de navire :

— Tout l'équipage était monté sur le pont pour le saluer. C'était un avant-midi, après la brume, dans le fin haut là-bas. Il glissait sans remuer les ailes. Le capitaine avait dit : « Il dort. » Les hommes faisaient silence, se passaient les lunettes d'approche, puis, après l'avoir admiré, retournaient à leur ouvrage plus courageux, sans savoir pourquoi. Veux-tu savoir pourquoi ?

L'enfant fit signe que oui.

— Moi, je vais te le dire, pourquoi les hommes étaient plus courageux après avoir vu un oiseau comme celui-là. Ils venaient de voir quelque chose d'exaltant ; un être qui souffre, mais qui, au lieu de gémir, monte quand même, seul, heureux quand même, qui cherche dans l'infini, pour oublier la terre, la direction d'un autre royaume.

L'enfant écoutait, avide.

— Parce que tu sais, Jean-Yves, la terre, c'est une passée, c'est impossible que ce soit la vérité. C'est pour te dire ces choses-là que je t'ai fait monter sur ma falaise. Non. Il y a trop de malheurs ici-bas. Trop de malheurs.

Le vieux fit une pause, sortit son vieux petit livre de sa poche, comme s'il sortait une preuve irréfutable et, tranquillement, lut la complainte d'un pèlerin inconnu, qui lui était chère :

— « Les vulgaires poissons circulent dans l'abîme,
descendent et se prélassent, font les beaux coups
de nage,
et les enfants se noient.
Les mineurs manquent d'air au fond des gouffres noirs ;
l'atmosphère au-dessus des grandes forêts vierges
n'est jamais respirée.
Combien de gens sur terre n'ont ni feu, ni lumière ;

que penser du soleil tout le long de l'Afrique
qui s'amuse et se perd ?
Que penser des rochers, ces immenses rochers
qui s'effritent et vieillissent sur toutes les montagnes
et ne servent à rien ?
Si les pauvres pouvaient, ils les prendraient, ces roches,
les tailleraient en pierres, se feraient des maisons
et auraient des abris.
Les psaumes exaltants ne sont pas répandus,
ne sont ni lus, ni sus ; et trop de belles voix
savent trop de blasphèmes.
Tous ces yeux, ces cheveux, ces dents et ces beaux muscles,
et ces profils parfaits qui pourrissent sous terre
dans tous les cimetières,
et tous ces pauvres hommes, boiteux, paralysés,
chauves et édentés, aveugles et finis
qu'on rencontre vivants.
Toute cette eau limpide plein les lacs inconnus
qui dort et qui se gâte ; et combien de familles
pour puiser dans la boue
doivent marcher des milles. Et toutes ces lumières
éblouissantes et pures qui éclairent des mots,
des mots sur de la tôle ;
quand on sait que des gens, des travailleurs du sol,
des ouvriers, des simples, et même des artistes
s'éclairent à la lampe.
Et puis il y a plus pour prouver que la terre
est un endroit de larmes, d'injustices et de deuils.
L'enfance, la jeunesse,
les couchers de soleil, les fleurs, rien, rien ne dure.
Et les hivers sont longs, et les bandits sont rois,
et la matière est reine.
Les ivrognes ricanent et les saints se flagellent ;
les prêtres sont hués et les fous sont fêtés,
quel grand déséquilibre !

Nous ne sommes pas frères. On a désobéi
au Maître. Mais il a dit : « Il existe un Royaume
où tous seront jugés. »

Impartialement, un par un, face à face,
chacun selon ses œuvres ; où tout sera parfait,
équilibré et propre.
Parce que c'est impossible que cette vie soit la vraie ;
n'est-ce pas assez boueux, vulgaire et dégoûtant ?

Ce n'est qu'une passée.
Par-delà la laideur, Quelqu'un nous attend tous ;
c'est entendu, c'est clair, sinon pourquoi la mort
si nous sommes chez nous ?

Pourquoi la maladie, l'infortune, la guerre
et ces fléaux de vices, et cette corruption,
et ces tribulations ?

Heureux ceux qui s'en vont, pauvres, humbles, patients,
ceux qui passent en faisant beaucoup de charité,
qui méprisent leur corps ;
et qui ont malgré tout la force de sourire,
qui s'en vont à la mort en chantant des cantiques,
car il est un Royaume... »

L'enfant était pâle, haletant, buvait les paroles comme un
assoiffé les lèvres dans une source.
L'autre tourna les yeux, continua avec de grands silences
entre chaque phrase pour laisser passer le vent du large :
— Tu vois ? Des malheurs, s'il y en a ! Il faut faire comme
l'albatros : nettoyer. La santé d'une nation ne dépend pas de ceux
qui sont dans la matière, l'homme s'y salit trop vite. La santé
d'une nation dépend de ceux qui ont du courage avec leurs malheurs, qui partent sans bruit de temps à autre, volent avec leur
âme loin de la banalité des jours, montent dans le Beau pour se

laver l'esprit. Des hauteurs, on aperçoit mieux les saletés qui traînent en bas. Trop de gens ne pensent à rien ; il en faut au-dessus qui pensent pour les autres. Il faut que tu saches que les hommes les plus malades ne sont pas ceux qui marchent avec des béquilles. Pour s'élever dans les sphères surhumaines, conclut la voix charitable, tu le sais maintenant, l'homme n'a pas besoin de corps, l'homme n'a pas besoin de corps.

Et dans le crâne de l'enfant, cette fin de phrase résonnait : « Pas besoin de corps... »

Plusieurs minutes passèrent.

Petit à petit, l'enfant sentait la noirceur reculer devant lui. Il souriait comme après un défi bien lancé. Il dit en regardant au loin :

— Bon vent de mer !

Il songeait à ce grand oiseau blanc qui cache ses œufs dans les roches, qui glisse au-dessus des tempêtes, ce roi des espaces vierges où ne vont pas les nuages.

Le soleil baissait. Le vent était plus froid déjà. Il fallait redescendre au village.

Avec une voix très douce qui émut le marin, le petit murmura :

— J'ai un service à vous demander.

— Qu'est-ce que c'est ?

Puis, il regarda en plein dans les yeux du loup de mer, jusqu'à ce que leurs âmes se soient mirées l'une dans l'autre ; il dit en flattant ses béquilles :

— Allons chez nous. Il y a de la peinture brune sur l'établi de papa, et vous allez peinturer mes bâtons.

Les yeux par terre, timidement, il ajouta :

— Aujourd'hui, j'ai vu un albatros.

Le vieux se leva, plia son couteau, le mit dans sa poche avec son livre, s'avança vers l'enfant, le ramassa comme on ramasse une brassée de blé, le fit glisser délicatement sur son dos et descendit vers le village, tremblant d'honneur comme s'il portait une promesse extraordinaire, comme s'il ramenait sur ses épaules un ange blessé.

83

14

dans le train qui filait

Dans le train qui filait
y avait un enfant laid
qui voyageait.

Une petite fille
en guenilles,
sans malle, sans famille,

qui se tenait debout
et regardait partout
dessus, dessous.

Elle montrait un long nez,
des mains carrées,
un petit front plissé,

et faisait des grimaces
à tous les gens d'en face
et dans la glace.

Une jeune demoiselle
parfumée, en dentelles,
se moqua d'elle.

L'enfant laid s'approcha
de cette poupée-là
et murmura :

« Pour traverser la vie
je t'envie,
toi, tu es bien jolie,

ne me regarde pas. »
Elle soupira :
« Je suis née comme ça ! »

Le train courait au vent,
loin emportant
les deux enfants pleurant.

15

le grade

En sifflotant, le fils entra chez lui à l'heure ordinaire, c'est-à-dire vers l'heure du souper. Sa journée était finie.

Il poussa la porte de la petite maison blanche, traversa une salle avec des colonnes, lança sa longue mante bleue sur le grand sofa à fleurs rouges, marcha jusqu'au jardin derrière la maison, appela doucement, la main en porte-voix :

— Maman, je suis arrivé !

Puis il revint au sofa en dansant tout seul dans le milieu de la place, se laissa tomber sur les coussins, sortit un papier de sa poche, le lut rapidement.

La joie dans toute la figure, il se mit à rêver.

Sa mère arriva, trottinante, vieille, heureuse. Il l'embrassa et lui dit :

— Assieds-toi.

Elle s'assit à ses côtés, devinant sans peine qu'il cachait une surprise. Mais lui, au lieu de l'annoncer tout de suite, s'informa des choses de la maison :

— Qu'y a-t-il de nouveau ici ?

— Rien, dit la vieille en riant, comme tu vois, rien.

Et c'était vrai. Il n'arrivait jamais rien dans ce quartier tranquille. Elle vivait seule dans la maison, séparée des voisins par des arbres ; elle préparait des plats, faisait le ménage, raccommodait les vêtements de son fils (elle n'avait que lui) ; les jours passaient tellement vite aussi !

— Je t'attendais.

Tous les soirs elle l'attendait ainsi.

— Toi, tu as du nouveau ? demanda-t-elle sans appuyer.

Il sourit largement avec ses belles dents, en penchant la tête. D'un coup de jarret il se leva, prit sa mère par la main et dit :

Mangeons. J'ai faim.

Ils passèrent dans une petite salle au fond, une petite salle bleue, propre et intime, qui avait des colonnes, elle aussi, avec de larges fenêtres ouvertes sur le printemps. Le souper fumait. Des bouffées de vent tiède avec des parfums de fleurs entraient et sortaient ; et tout cela avec le soleil sur le plancher, rendait le fils content et la maison en fête.

Il frotta ses mains vigoureusement, palpa la belle nappe de dentelle, se versa du vin et dit en levant son verre :

— A ta santé, maman !

La mère se hâta d'apporter les viandes et le breuvage et les légumes, s'assit en face de son fils et mangea patiemment après l'avoir servi.

— Promotion, souffla-t-il tout à coup d'une voix de mystère. Et retombant dans le silence pour faire languir sa mère, il se remit à manger.

— Promotion ? Quoi ? fit la vieille toute ravie et tremblante.

Le fils la regarda avec amour et de la même voix, dit :

— Demain c'est un grand jour pour moi.

— Demain, oui ?

— Pour toi et pour moi.

Et avec beaucoup d'orgueil et de naïveté en même temps, le beau garçon se leva bien droit, colla ses mains le long du corps et dit :

— Maman, ton fils est officier.

La vieille, sans trop réaliser tout ce que ce mot signifiait, regarda son fils qui avait l'air d'un seigneur et s'exclama après un silence :

— Officier, toi !

— La fameuse promotion, je l'ai, expliqua-t-il en se remettant à danser dans la salle. Demain on me confie une besogne importante.

Car le fils, à cause de sa prestance, de sa force et de son goût pour les armes, travaillait comme soldat d'élite pour le compte d'un grand seigneur, une sorte d'empereur qui régnait sur le pays, qui faisait et défaisait les lois à sa fantaisie, parce qu'il était puissant.

— Ah, ta promotion ! Comme c'est bien ! Comme c'est beau ! fit la mère en joignant les mains.

Maintenant elle se rappelait parfaitement combien de fois son enfant lui avait parlé de sa hâte d'être promu.

— Demain... commença le fils gravement, puis il se mit à rire.

— C'est un secret militaire, je ne puis t'en dire plus long.

Avec dans l'œil une joie mystérieuse, il déclara :

— Demain, je serai absent toute la journée ; nous laisserons le palais vers dix heures.

Après, il mit un doigt sur sa bouche en faisant des yeux sévères. Il montra le coin du papier jaune dans sa poche, avec le sceau de la maison impériale.

— J'ai mes instructions ici.

La mère écarquilla les yeux, la bouche, les doigts :

— C'est dangereux ?

Aucunement.

Et pour chasser les inquiétudes de sa mère, il se reprit à rire et à danser. Alors elle se mit à rire aussi, par petits coups, rassurée par la joie de son fils. Soudainement émue, elle dit :

— Voilà, tu le mérites bien. Personne n'a rien à critiquer sur ta conduite. Je ne suis pas surprise du tout de ce qui t'arrive.

Puis elle marmotta, sans vouloir en savoir plus long :

— Demain, tu es officier et tu n'as pas trente ans. Tu fais obéir des hommes beaucoup plus vieux que toi. D'autres grades t'attendent sûrement. Ton éducation t'a servi, je suis bien récompensée.

Elle haussa les épaules, rit en s'essuyant les yeux, le regarda plusieurs fois en répétant :

— Je ne suis pas surprise du tout...

Ils continuèrent à manger. Le fils prenait un air absorbé et regardait dehors en mâchant, et la mère n'osait pas lui poser de questions ; elle était si sûre qu'il repassait dans sa tête des soucis de chef et vraiment le fils avait l'air responsable, plissait les yeux parfois comme pour empêcher un détail de sortir de son crâne.

Le repas terminé, il dit :

— Et tu sais, l'uniforme de cérémonie demain.

— Ah ? Ton bel uniforme ?

Elle battit des mains comme une petite fille.

— Ce soir, si tu veux, continua le fils, nous l'examinerons pour nous assurer qu'il n'y manque rien. Moi, j'astiquerai tout ce qui doit reluire, et toi, tu presseras la mante.

La mère se hâta de finir la vaisselle et de serrer les ustensiles. Puis ils passèrent tous les deux dans la première salle aux colonnes, étalèrent l'uniforme des grands jours sur le sofa et, avec beaucoup de précautions, la mère examina tous les points de la tunique, pendant que le fils frottait ses enseignes, ses épaulières, et tout le clinquant des uniformes de parade.

Durant ce travail, ils riaient et chantaient tous les deux. Aux souvenirs d'enfance qu'elle lui rappelait, tendrement il répondait :

— C'est arrivé !

Pour faire plaisir à sa mère et à lui aussi, il passa dans sa chambre quand tout fut terminé, se vêtit de son bel uniforme de garde, posa sur le côté gauche le médaillon de chef, ajusta son casque qu'il pencha un peu de côté, sangla l'épaisse ceinture pour l'épée et, faisant sonner ses talons, radieux, luisant, parut devant sa mère, droit, beau, solennel.

D'un geste théâtral, il jeta sur son épaule tout un pan de sa mante bleue, comme faisaient les comédiens, et dit en montrant ses belles dents :

Voilà !

La mère avait joint les mains et courbé la tête, comme elle avait fait une fois dans la rue au passage de l'empereur lui-même.

Et le bel officier marcha dans la maison, sortit même dans le petit jardin, parader sa joie devant les arbres, les oiseaux et le ciel.

Il savait que, par les fenêtres ouvertes, sa mère l'admirait. Il tira de sa ceinture un beau fouet en cuir noir, avec la bague d'argent sur le manche tressé ; le bras en l'air, il flagella un arbre, d'un coup droit et terrible et se mit à rire. La mère frissonna, retint un petit cri. Il rentra en sifflant.

Le lendemain, il déjeuna de bonne heure, endossa son bel uniforme de chef, embrassa sa mère et dit, la figure épanouie :

— A ce soir !

Puis il posa son casque, s'enroula dans sa mante bleue, sortit de la petite maison blanche et, à grands pas, en faisant tinter ses armes, il prit la rue.

La mère, de sa fenêtre, le regardait s'éloigner et murmurait à voix très basse :

— Mes petits sacrifices sont bien récompensés !

*　　*　　*

Il fut à son poste bien avant l'heure.

Il entra dans la cour du palais où il y avait déjà beaucoup de monde ; des soldats se mirent à l'attention. Il appela un de ses hommes, donna des ordres, sortit son papier d'indications et se promena lentement le long des murailles en ayant l'air de réfléchir. D'autres officiers vinrent causer avec lui. Quelques minutes plus tard, un messager le demanda.

Il entra dans le palais suivi de quatre de ses hommes, traversa rapidement plusieurs grandes salles en marbre. Il connaissait tous les coins de cet immense château. Le vent roulait dans sa mante bleue. Il était fier, jeune, orgueilleux et savait les récompenses qui l'attendaient au soir de ce jour-là, s'il menait à bien sa besogne.

Dans une des cours de la justice, le procès d'un coupable venait de se terminer. On le lui confiait, avec l'ordre de partir tout de suite pour une destination écrite sur son papier. Il comprit, fit un geste à ses gardes qui entourèrent le condamné, commanda qu'on le suivît. Quand il fut dans la cour extérieure, il donna un signal avec son bras.

Aussitôt des hommes arrivèrent, chargèrent le coupable et, à l'attention, attendirent les ordres.

— En avant ! cria le chef.

Puis il écarta la foule qui trépignait et qui hurlait, ouvrit un passage dans la rue, jeta sa mante sur son épaule, serra les dents, claqua son fouet et guida la marche dans le sable. La poussière en fête enveloppa la cohue et l'escorta par-delà la ville.

*   *   *

Au soir de cette journée le chef revint chez lui dans la maison blanche, toute l'affaire étant finie.

Sa mère l'attendait depuis longtemps. Elle avait préparé un repas de joie, décoré la table et versé de la liqueur. Le fils, en entrant, ne remarqua rien de tout cela. Il était fatigué et bourru. Il n'avait pas dîné et refusa de goûter aux plats appétissants, parce qu'il n'avait pas faim. Il s'excusa auprès de sa mère, marcha dans la maison comme un homme en cage, enleva brusquement ses épaulières et le casque à panache. Il lança sur le sofa un paquet qu'il portait sous le bras à son arrivée.

Sa mère, sans demander la permission, avait commencé à le défaire.

— Ne l'ouvre pas ! avait-il crié de loin. Ça ne te regarde pas.

Mais elle avait vu : c'était le fouet de cuir, caché dans un morceau de robe rouge, et une éponge sale, humide encore et qui sentait le vinaigre ; il y avait de petites boulettes de chair et du sang collés dans les mises du fouet.

La vieille alors, à la hâte, était allée se laver les mains dehors, dans une urne remplie d'eau, qu'il y avait au pied du jardin. Elle n'était pas rentrée.

Lui, étendu sur le sofa à fleurs, essayait de dormir. Il n'avait pas le goût de dormir, ni de parler, ni de manger. Il se leva, aperçut sa mère assise sur un banc du jardin et, sans la regarder, lui lança par la fenêtre :

— C'est fini, c'est fini. Viens donc. J'ai obéi !

Il faisait jaune. Le vent soufflait des nuages en furie. Les éclairs se tordaient et soudainement, avec un bruit de tremblement de terre, l'orage éclata.

La mère alla se réfugier dans la deuxième salle aux colonnes et, sur une chaise dure, se mit à pleurer.

Le fils sortit, parce qu'il ne pouvait souffrir la vue de sa mère qui pleurait. Il alla dans le jardin, se promena sous la pluie torrentielle, avec son bel uniforme et son paquet sous le bras. Il tournait autour de l'arbre qu'il avait flagellé la veille et mettait son doigt dans la cicatrice de l'écorce. Parfois il se penchait, ramassait une poignée de vase, se frottait les poignets et les bras. Puis, il fixait les petites mares d'eau, de longs moments, avec des yeux de vitre ; il restait immobile, le dos rond, et soufflait entre ses lèvres :

— Si c'était le vrai Dieu !

*   *   *

Le lendemain qui était un samedi, il se sentit malade et ne voulut pas sortir. Sa mère était triste aussi et honteuse.

Pourtant elle savait que son fils était soldat, qu'il était appelé à obéir, à faire des choses dures et difficiles ; elle devait bien se douter que parfois il devait bousculer des criminels, puisque c'était un garde ; mais elle ne croyait pas que son fils eût pu flageller quelqu'un. C'était la première fois de sa vie qu'elle avait vu un fouet avec du sang et de la chair humaine sur les boulettes de plomb. C'est vrai que son fils ne racontait jamais à sa mère les sortes de travaux qu'il remplissait chez ses maîtres.

Au dîner, elle lui demanda :

— Tu as frappé quelqu'un ?

Sans faire de crise, ni de scène, il fit signe que oui, honteusement.

— Qui ?

— Je ne sais pas.

— Qu'avait-il fait ?

Et il raconta à sa mère, — non pas tout ce qu'il savait et tout ce qu'il avait commandé, les coups de fouet que lui-même avait donnés (car elle serait morte de déshonneur, la pauvre !), — mais il lui raconta les paroles étranges de cet homme, sa docilité, son amour pour le peuple et pour la longue, dure et noueuse croix, sa figure imprimée dans le voile de Véronique, et ce qui l'avait touché le plus, lui : « Pardonnez-leur, car ils ne savent ce qu'ils font. »

La mère pleura et ne voulut plus en entendre davantage.

Le fils, qui pourtant était dur et fort, qui en avait vu d'autres, était malheureux et abattu. Il se traînait les pieds dans la maison, fiévreux, hagard.

Vers la fin de l'après-midi, il s'habilla en garde ordinaire, embrassa sa mère nerveusement et dit :

— Je vais là-haut, au Calvaire. Je reviendrai ce soir.

Le soir, il ne revint pas.

La vieille guetta son retour toute la veillée par les fenêtres de la maison blanche. Finalement, elle s'assoupit sur le grand sofa à fleurs.

Quand elle se réveilla avec le soleil du dimanche de Pâques, elle aperçut son fils, tête nue, les bras en croix, à genoux dans le jardin, les yeux dans l'éternité qui disait :

— Je crois ! Sans le savoir, j'ai conduit le Christ au mystère attendu depuis Moïse et les Prophètes, j'ai invité le Fils de Dieu à écrire la première page de sa Rédemption. Qu'il me pardonne, je crois en Lui !

Saisie par ce spectacle de son fils à genoux, elle s'écrasa à son tour et humblement murmura, encore tout endormie :

— Je veux savoir la vie ! Je veux la paix, moi aussi !

Et Dieu, qui venait de ressusciter et qui cherchait un gîte, entra dans ces deux âmes.

16
l'invité

Un inconnu entra dans une église, un soir, se cacha derrière une colonne pendant que le bedeau faisait sa ronde et, quand les portes furent barrées et le bedeau parti, le vagabond en s'excusant auprès de Dieu s'approcha timidement d'une grappe de lampions qui achevaient leur extase, et fit cette prière, les yeux dans le noir :

« Si je suis venu, c'est parce que je n'ai pas d'autre adresse. Je m'invite grossièrement, acceptez-moi pour cette nuit.

L'hiver est arrivé avec ses longs jours blancs. Le vent sur la plaine rôde, saute, pénètre, et me mord sous le linge.

Je n'ose me montrer nulle part, à cause de la nuit qui est toujours au bord, toujours prête à tomber. Mes vêtements sont pauvres, mes mains n'ont plus de métier, je suis une vomissure que se renvoient les villes.

Tout pèse au dehors, Seigneur, la vie a tout juste le bout du nez sorti de la neige, et il faut quand même dérouler son rouleau, tourner les jours, revenir et marcher. Mes pieds sont meurtris comme mes vieux souliers. Comme les animaux qui hivernent sous terre, je voudrais m'endormir.

Abruti par les rires épais qui m'écœurent, par des propos longs, insipides et sots, me voilà tout mêlé, tout inondé d'ennui, troué comme une loque. Mes idées sont trop mûres, ma mémoire gelée, mon sourire déteint. Quel triste invité je fais ! Tous mes rêves sont avortés. Mes plans n'ont jamais eu de fin comme ma route n'a pas de but.

Je suis l'homme des ténèbres, repu, abasourdi, indifférent au laid, indifférent au beau, blasé par les journaux, les revues, les papiers qui montrent à la page des deuils et des procès, des malheurs sans répit, des injustices en masse, encore plus de malchances, et je chemine ainsi, défait, entortillé, brisé, avec un peu de grippe et un peu de vieillesse, à travers ma fièvre, interpellant mes amis au bord des cimetières.

J'ai une haine pour les fous et les fats, un goût pour les morts et les choses macabres, alors acceptez-moi à l'endroit que voici, puisque je suis seul et ne veux embêter personne avec des lettres sentimentales. Je refuse de me saouler bêtement dans le fond de ma nuit. Vous avez à vos pieds un chien malheureux.

Je n'ai plus la force de faire des colères tonnantes, qui d'ailleurs n'ont jamais tué mon mal. Jadis, je me ruais sur des narcotiques littéraires ou autres qui duraient la durée d'une piqûre. Aujourd'hui c'est fini, j'attends...

Pourtant je ne suis pas venu me plaindre avec humilité et longueur. Je suis venu Vous voir, seul.

Vers sept heures, dans le soir, tout à l'heure, j'ai endossé mon paletot, coiffé mon vieux chapeau. J'ai pris la rue sifflante. Vaillamment, je suis venu à votre grosse église, la première à ma vue, ouverte, déserte, chaude, qui me faisait bienvenue, l'église sans gardiens, ni billets, ni garçons, ni programmes, ni vestiaires, ni courbettes, ni placiers.

Je me suis rendu ici entre chien et loup, me suis approché en longeant les allées, en regardant les murs, en clignant de l'œil aux anges, car il y en a toujours de perchés sur les lampions, de blottis aux colonnes ou d'accroupis aux bénitiers, comme des enfants au bord des sources. Quelle merveilleuse idée !

Je me suis avancé et me voici dans la nef, dans cette sorte de nuit couleur rayon de lune. Assis là sur un banc, je souffle le temps qu'il faut, je surprends le bon Dieu, mon Maître. Je réfléchis, je vois et jase un peu.

95

Je ne lirai pas d'adresses, ne réciterai rien du langage des livres, avec points de départ, avec points de sortie, et des échappatoires, et des sauteries, semblables au protocole dont il faut se servir quand on s'adresse aux hommes, ces boursouflés d'orgueil et de dédain.

Vous ne répondez pas : « Mais qu'est-ce que c'est, monsieur, parlez plus fort monsieur, vous avez l'air souffrant ? »

Non, non. Et vous faites bien, car je disparaîtrais.

Je m'approche en avant et jase d'amitié. Merci. Je vous offre des souffles, des silences aussi, c'est ce que j'ai le plus, et des balbutiements, des haussements d'épaules, un plissement des yeux, voilà mon offrande.

Je suis bien embêté, Seigneur mon Maître. Tout me pèse, tout m'assomme. Je ne sais plus ! La vie, le jour, demain m'effraie. Comment faire ? Où va-t-on ? Je n'ai réponse à rien. Comme un idiot, bouche bée, impuissant, je suis un ignorant, un petit et j'ai peur. Je ne crois plus hélas ! ni aux hommes, ni aux lois, ni à la persévérance, ni à l'espérance, c'est trop loin, je doute et je me rends.

Serait-il possible que, doucement, la digue, le ramassis, le trouble, l'indigestion d'ennui que je porte en dedans passe, fuie, déferle. Redevenir enfant ? »

A ce moment précis, le petit ange de bronze aux ailes étendues, qui, debout sur la grappe de lampions, gardait les petits phares, fit signe au vagabond de s'approcher. Endormi et lourd, l'inconnu sortit de son banc comme un somnambule, s'avança vers les tremblotantes lueurs. L'ange avec son doigt pointa le lampion vert qui balançait sa flamme au fond de son bocal et, dans la couleur verte, l'homme vit un violoniste pauvre agenouillé, son instrument sous le bras, qui, avant de rentrer chez lui, disait à Dieu son chagrin d'avoir raté une audition qu'il venait de passer devant des juges musiciens ; il avait allumé ce lampion vert.

L'ange pointa le lampion suivant qui était bleu. Le vagabond vit un mulâtre en voyage, loin de sa famille, qui était venu allumer le lampion de la fidélité en pensant à sa femme.

L'ange pointa le lampion blanc. Le vagabond se pencha et vit, joyeux et pur comme le soleil, un couple, marié cet avant-midi dans cette église même, et qui se recommandait au Maître.

Dans le lampion jaune que montre l'ange, le vagabond aperçut une fille de joie qui pleurait et, dans le lampion rouge qui est l'amour, il vit une vieille femme malade, riant.

Puis les images disparurent, l'ange s'immobilisa et le vagabond comprit que la terre était l'endroit des suppliques, des recommandations, des larmes et des cris.

Il retourna à son banc et dit :

« Voilà que lentement réapparaît l'étoile à sa place, la lueur à sa place, l'amitié à sa place, toutes choses à leur place, tranquillement. Merci. Et un goût de dormir comme jadis dans l'enfance, de dormir sans crainte, me prend, m'enveloppe. Je me sens protégé, veillé, dorloté. Quelqu'un pense pour moi, me trace la feuille de route pour demain et tous les autres jours.

Que craindrais-je ? Qui peut me faire tort ? Qui peut me juger mieux que Vous ?

Vous prenez inquiétudes, chagrins, misères, suppliques, maux. Votre amour ressemble à un grenier immense qui engouffre pêle-mêle faiblesses, désirs, fautes !

Alors, je me sens neuf, vidé comme un seau d'eau renversé dans le sable, avec l'eau qui disparaît, bue par le sable. Mes idées sont tranquilles. Le tourbillon est loin, je le vois s'éloigner, la lumière se montre comme à un doux lever.

Dans les jarrets, les jambes, les bras, le dos, le nerf me revient, je bouge mes doigts dans mes gants. Les casiers de mon cerveau se renumérotent, je ne mêle plus présent avec futur, or avec art, beauté avec laideur ; les fiches qui étaient tombées par terre et qu'il a fallu ramasser en vitesse, se replacent une par une. Demain, je déviderai ma route puisqu'il vous faut des vagabonds. »

Il s'endormit profondément.

Le lendemain matin, après la première messe, il se leva, longea les murs à reculons, flattant la tringle avec son doigt, saluant les anges comme des visages habitués. Et avant de sortir, tout de suite après la génuflexion, avant de mettre la main sur la poignée de la grosse porte, il se grandit, regarda au loin, en haut, très loin, où brille la lumière rouge et, orgueilleusement, mais avec autant de sérieux que s'il prêtait un serment, murmura :

« Quel beau bateau ! Moi, je suis de cet impérissable équipage ! »

Il sortit, mit le pied sur le trottoir blanc, à la suite des autres, bien caché derrière un signe de croix. Il se remit en scène, sans broncher, convaincu que, dans les coulisses, le Directeur le regardait, la copie entre les doigts et lui murmurait : « Joue, c'est à toi. Quand reviendront tes malheurs, viens te vider à l'église, regarder les lampions, te demander quelle raison a poussé les gens à venir les allumer. Une souffrance en est toujours la cause, et Moi, Je sais s'il s'en brûle de par l'univers ! Tu es Mon invité, quand tu voudras, où que tu sois, Je suis partout. Quand le tic-tac te bourdonnera trop fort dans la tête et te fera mal jusqu'à te faire crier, viens ici, à la cachette du monde, en attendant le printemps, le printemps qui vient toujours, que jamais je n'ai manqué d'envoyer, que j'enverrai encore cette année avec sa suite éblouissante. »

Un homme marche sur la route en attendant la fin du monde.

17

la grande nuit

Par une nuit claire de décembre, dans le firmament bleu troué de soleils lointains, trois étoiles roulant dans la même direction regardent la terre du fond de l'éternité et conversent.

La première, pour guider les navires, laisse traîner dans l'océan l'argent de son œil, tout en écoutant la plus vieille.

Comme une grand-mère sans éclat, la plus vieille, tout en suivant sa course, raconte ses souvenirs dans l'espace pur comme la glace, à une troisième étoile au front resplendissant de jeunesse.

L'étoile des marins, l'étoile de Bethléem, et l'étoile des amours sont là, dans l'infini, par une nuit de décembre, et regardent la terre où l'on fête Noël.

— Etoile des marins, dit la vieille étoile de Bethléem.

— Oui ?

— Tu vois ce qui se passe en bas ?

— Je vois.

— N'est-ce pas qu'ils ont raison de le fêter, ce Noël ?

— Oui.

— Dommage que nous soyons si lointaines !

— Dommage !

— Nous ne pouvons pas y aller et ils ne peuvent venir ! Pourtant, c'en vaudrait la peine. Nous leur en dirions des choses !

Nous sommes à peu près les seuls témoins oculaires de la fameuse nuit. Tu étais ici, tu te souviens ?

— Je me souviens.

Et l'étoile des marins rêve aussi, en continuant de guider les navires.

— A-t-elle été assez éclatante cette nuit-là ? poursuit la vieille de Bethléem.

— La plus belle de ma vie, répond l'autre.

— Si nous racontions à la petite ce que nous avons vu, n'est-ce pas qu'elle se réjouirait ?

— Racontez, de grâce, supplie la jeune étoile des amours.

Les deux autres la regardent.

— Quand j'ai laissé l'orbite, dit celle de Bethléem, et que sur un ordre je me suis avancée au-dessus de l'étable, hein ?

— Je me rappelle... murmure l'étoile des marins.

— Dites-moi ce que vous avez vu ? demande une deuxième fois l'étoile des amours.

— Et les chœurs célestes, continue la vieille, qui passaient avec leur musique, et le froissement de leurs ailes dans les espaces, et le Gloria, et le ciel entrouvert, tu te souviens ?

— Jamais je n'oublierai cela, répond son vieil ami.

— Nous allons te raconter l'énorme naissance du Fils de Dieu, vue d'ici, des étoiles. Crois-moi, petite, cette nuit-là nous avions l'œil clair, car le monde attendait cette naissance depuis quatre mille ans. Alors, nous n'avons rien perdu. Il n'y avait pas de nuages ce soir-là. Puisse cette histoire, petite, te faire aimer davantage ton firmament. Commence, étoile des marins.

L'étoile des marins obéit.

— Le soir est beau. La mer est calme. Je ne suis pas inquiète, je peux parler tranquille.

En l'an premier de Jésus, sous César-Auguste, au-dessus de la Palestine, nous étions, elle et moi, deux étoiles ordinaires parmi des millions d'autres. Ta grand-mère n'avait pas trouvé sa vocation encore, petite, et moi je m'occupais de veiller les océans. J'avais ordre de me tenir l'œil bien ouvert chaque nuit — comme aujourd'hui encore, d'ailleurs — et de faire la vigie sur tous les rubans d'eau.

Depuis longtemps je faisais ce métier : la mer Rouge, la mer Morte, le Jourdain et cette grande Méditerranée, je les savais toutes par cœur. Je peux bien te le dire, je faisais mon métier depuis Moïse. Tu sais le Nil, et le berceau dans les joncs et tout ? Je suis pour quelque chose là-dedans. Enfin, passons. J'étais devenue observatrice, curieuse ; on avait confiance en moi comme en une boussole ; demande-le aux pêcheurs de Tibériade, rien ne m'échappait ; j'avais l'œil d'un marin et le nom m'est resté. C'est pourquoi, la première, j'ai aperçu le couple en bas, et c'est moi qui l'ai annoncé aux autres étoiles, n'est-ce pas, étoile de Bethléem ?

— C'est la vérité.

— Ensuite ?

— La première, j'ai vu le couple, continue la narratrice et tu sais de quel couple je parle ?

— Je sais.

— Marie et Joseph ! Laisse-moi m'incliner ! Je les ai vus partir de Nazareth en Galilée ; je les ai vus quand ils ont pris la route, seuls tous les deux, en direction de Judée.

— Pauvre Marie ! Décrivez-la-moi.

— Une simple femme, pauvrement vêtue, avec le voile comme les autres, mais bénie entre toutes à cause du fruit qu'elle portait.

— Ah ! que je l'aurais aimée !

— Tu l'aurais aimée ? Nous avons fait cela, petite, lui répond l'étoile des marins.

— Et pourquoi partaient-ils tous les deux ?

— Ils obéissaient à l'édit de César-Auguste qui ordonnait le recensement de tout l'univers. Alors Joseph, pour s'inscrire, devait aller à la ville de David, parce qu'il était de la famille de David. Et il amena son épouse.

— Pauvre Marie ! Elle n'était pas dans un état pour faire de longs voyages, soupire la petite étoile.

— Sa vie a été un pénible voyage, déclare l'autre. On ne l'a pas appelée la Mère de Douleur pour rien. Pour donner à son

Fils l'amour de la souffrance jusqu'au crucifiement, il a fallu qu'elle souffre.

— Que je l'aurais aimée ! Ensuite ?

— Si tu savais comme elle a marché, comme ils ont marché tous les deux !

— Vous les avez vus ?

— Avec cet œil que j'ai ici, moi, étoile des marins, je te jure que je les ai vus.

— Saviez-vous que c'était Joseph et Marie ?

— Non, je ne le savais pas, mais si je les ai remarqués, c'est à cause d'elle, cette femme, qui brillait comme une perle à travers les autres humains ; d'ici, on voyait bien.

Elle portait son enfant et marchait sans rien dire. L'homme lui donnait le bras. Je les ai suivis, ils allaient si lentement ! De Nazareth à Bethléem, il y a plusieurs milles. Il fallait traverser la Samarie dans toute sa longueur ; au commencement de la Judée, entre Béthel et Bethléem, c'est montagneux, je le sais. Je ne te dirai pas la misère qu'ils ont eue, parce qu'il me faudrait également te dire leur courage, et une étoile comme moi n'en est point capable.

— Continuez.

— Je vais te raconter la grande nuit...

Il était cinq heures, je crois, le 24 décembre au soir, et nous commencions à paraître, elle et moi. C'est ça ?

— C'est exact, affirme la vieille qui écoute.

— Les ténèbres tombaient. J'ai regardé sur Tibériade : Il y avait quelques barques, mais je pouvais les laisser tranquilles à leurs filets, le soir était si pur !

Ta grand-mère et moi savions que le couple était dans la ville de Bethléem. Au matin, nous les avions laissés là ; alors nous fixions la rue principale au cœur de la ville, où il y avait foule. Nous devinions qu'ils étaient au bureau d'enregistrement et nous attendions leur sortie.

En effet, ils sortirent. Bousculés. Joseph mettait ses bras autour de la Vierge pour la protéger. Bousculés, que je te dis. Tu auras l'occasion de savoir ce que c'est, une foule : c'est insipide et brutal.

— Pauvre Marie ! ne cesse de répéter l'étoile des amours.

— Enfin, les voilà dans la rue, poursuit l'étoile des marins. Ils s'arrêtèrent, regardèrent. Quel côté prendre maintenant ? Il fallait bien continuer la souffrance. Seuls, dans une ville étrangère, figures inconnues, sans parents, sans amis, ils étaient en peine et ne pouvaient le cacher, on voyait bien.

Joseph s'informait poliment aux personnes qui le croisaient. Des haussements d'épaules, de l'indifférence, de la fausse importance, si j'en ai vu ! Pauvre Joseph ! Il fit quelques pas du long d'une allée propre, installa la Vierge sur une pierre plate qu'il y avait là au bord d'un jardin, et traversa la rue. Il frappa à une entrée de maison. Dans l'entrebâillement, une femme du peuple vint répondre, gesticula et claqua la porte au nez du pèlerin. Il frappa à la porte suivante, à la suivante, à la suivante, à la suivante. Marie voyait tout de l'autre côté, comprenait, et souffrait sous son voile. C'est vrai que Joseph avait la voix malade, l'air fatigué, la barbe et les mains salies par la poussière du chemin. Pas de place pour eux dans l'hôtellerie !

— Pas de place pour eux ?

L'étoile des amours est étonnée.

— Non.

— C'est incroyable !

— Est-ce que je mens, étoile de Bethléem ?

— Tu dis vrai.

— Tout de même, on leur apportait un Dieu ! murmure la petite étoile.

— Ils sont repartis comme des errants, des sans-adresse, au gré de la route ; elle, en se soutenant sur son bras à lui.

— Ils sont allés où ?

— La route des campagnes, encore une fois, où les parfums sont gratuits et le temps moins pressé. Les maisons s'espaçaient ; personne dehors.

— Quelle heure était-il ?

— Peut-être sept heures du soir.

— Il faisait froid ?

— Puisqu'ils se roulaient dans leur mante, les mains dans les manches, il devait faire froid.

— C'est affreux ! Et elle ?

— Pas une plainte. Deux fois elle a regardé les cieux, n'est-ce pas, étoile de Bethléem ?

— Oui, deux fois elle nous a regardées, assure la vieille.

— Avez-vous pâli ? demande la jeune étoile ?

— Nous étions gênées. Quand même, nous faisions toute la lumière et toute la chaleur que nous pouvions, hélas !

Et la vieille songe.

— Qu'arrive-t-il ?

— Un homme s'approcha d'eux, continue l'étoile de la mer ; un homme des champs, je crois, à la démarche pesante. Il s'arrêta, écouta la question de Joseph, fit signe que non et s'éloigna. Lui non plus n'avait pas de place.

L'étoile des amours est scandalisée.

— Crois-moi, dit l'étoile des marins, Joseph et Marie étaient seuls au monde ! Nous les étoiles, nous le savons, parce que nous étions au-dessus comme des yeux. Nous avons tout vu.

— Moi, l'étoile des amours, que n'aurais-je donné pour être là avec vous !

— Tu serais devenue folle de bonheur ou de tristesse, répond la vieille. Nous ignorions s'il fallait scintiller, clignoter, danser ou nous éteindre, ou nous jeter en bas. C'était grandiose et révoltant à la fois.

— Mais j'aurais vu la Vierge ! ajoute avec grand respect l'étoile des amours.

— C'est vrai, tu aurais vu le chef-d'œuvre, dit en s'inclinant la vieille. Tu aurais vu le vrai amour. Une femme qui porte un enfant et qui s'en va sur le chemin, les yeux baissés, sans un mot, qui suit son époux, lui sourit et murmure des phrases du Magnificat qu'elle avait composé : « Mon âme glorifie le Seigneur, parce qu'Il a jeté les yeux sur la petitesse de sa servante. » Tu aurais vu l'étendue sans bornes de ce cœur de femme. Tu aurais vu ce qu'était la mère d'un Dieu.

— Nous autres, nous l'avons vu, murmure l'étoile des marins.

— Qu'arriva-t-il après ? Continuez.

— Après ?

Et l'étoile des marins poursuit :

— Vers huit heures, le couple s'arrêta pour se reposer. La Vierge s'accroupit dans le sable froid et attendit.

— Elle priait ?

— Je le suppose. Joseph se balançait, piétinait, regardait à droite et à gauche. Que décider ?

— C'est épouvantable ! gémit la plus jeune. Et tous ces hommes et ces femmes dans des maisons chaudes qui chantaient et riaient !

— Que veux-tu, cela devait arriver ainsi, répond le vieux guide.

— Alors ?

— Alors, Joseph s'est éloigné un peu pour voir aux alentours. Tout à coup, il entend beugler en face de lui, là-bas dans l'obscurité. Il s'approche prudemment : il y avait une étable. Il entre. Un bœuf et un âne, chacun dans sa stalle, les yeux grands ouverts, l'appelaient. Il regarde, se rend compte... Une étable ordinaire avec l'odeur tiède et forte des animaux. Les crèches étaient remplies de paille. Il touche avec sa main jusqu'au fond et se réjouit : la paille est sèche.

Vite, en courant, il sort, retourne joyeusement à Marie, comme s'il avait trouvé une chambre de roi, lui décrit la brassée de paille sèche qui attend dans la mangeoire. Il est tout ému, il rit, il est content, tout va bien. Marie enfin pourra se reposer un peu, à l'abri. Marie accepte, se lève, marche en remerciant le ciel pour la paille, se soutient sur Joseph qui écarte les branches du sentier.

Marie entre dans l'étable, regarde, s'avance en s'appuyant sur les murs. L'âne et le bœuf devinent, se taisent, se couchent, posent leur grosse tête sur le bord de la crèche et, doucement, à grands coups de naseau, réchauffent la paille, comme si on leur avait dit qu'ils réchauffaient un berceau royal, ferment les yeux puis s'endorment.

Dans le silence de la nuit, sous la tiède respiration de deux animaux, deux travailleurs, deux fidèles, deux amis, les deux seuls qu'il y avait dans toute la Judée, le Fils de Dieu venait au monde !

— Merveilleuse nuit ! clame l'étoile des amours, extasiée.

— L'étoile de Bethléem te dira la suite, fait la vieille.

— Nuit merveilleuse ! répète la plus jeune.

— La suite ?

Et l'étoile de Bethléem continue :

— La Naissance était faite. Celui que les hommes espéraient depuis David, était arrivé.

Joseph avait déchiré une partie de sa toge pour emmailloter le petit, et dire qu'Anne, la mère de Marie, avait un petit trousseau tout préparé là-bas en Galilée ! La crèche, la paille, les animaux, la misère cachée, enveloppée de silence, et nous, pauvres étoiles, voilà ceux qui souhaitaient la bienvenue au Sauveur de l'humanité. Les pauvres de la terre qui sont loin d'être Dieu, devraient savoir qu'il y eut plus pauvre qu'eux jadis : le Fils du Père !

Moi, du fond de mon ciel, je me réjouissais, toute petite dans l'immense rouage des soleils. Je regardais en bas, comme faisaient mes sœurs, dans la direction de la cabane abandonnée. Jamais je n'aurais cru que j'avais un rôle à jouer dans ce mystère. Tout à coup, je me sens tirée hors de ma place, je me sens comme poussée dans le dos par un vent inconnu, poursuit la vieille. Et je sortis de l'orbite, je roulai à travers l'espace vers la terre. Un indicible honneur m'arrivait : le ciel me déléguait pour saluer le Nouveau-Né et représenter les autres.

Pourquoi moi plus qu'une autre ? Pourquoi pas une compagne aussi belle que moi ?

Alors j'obéis. Je m'approchai. La durée de quelques secondes, je franchis des années de distance, et toute seule dans la solitude, presque à la frontière où le vent finit, je m'arrêtai, je saluai, et j'adorai. Ce que j'ai vu alors ? C'est difficile à expliquer : des anges de gloire en robe de paradis qui volaient entre le ciel et la terre en soufflant dans des trompettes d'argent ; des chœurs qui chantaient ; des pans de clarté qui coulaient d'en haut, et cette géante lueur qui sortait de la crèche et piquait jusqu'aux portes de l'éternité. Ce que j'ai vu, moi, étoile de Bethléem ?

Les bergers d'alentour qui veillaient leurs troupeaux, écrasés de terreur et qu'un ange rassurait.

Les trois mages qui partaient de l'Orient, qui se mettaient en route sur leurs chameaux, avec les trésors. Ce que j'ai vu ? C'est trop énorme pour une pâle étoile. J'ai senti la création frémir, se courber, adorer, et j'ai fait comme la création. Dieu était sur la terre ! Lui, en chair et en os ! Il grelottait comme tous les nouveau-nés sans chaleur. Lui !

— C'est épouvantable !

Et l'étoile des amours se brouille.

— Est-ce que je mens, étoile des marins ?

— Tu dis la vérité.

— Mais les hommes sont-ils si dignes d'amour qu'un Dieu vienne les racheter ? demande la petite, émue.

— Dieu venait leur dire qu'ils avaient une âme immortelle, déclare la vieille.

— Ils ne le savaient pas ?

— Ils ne le savaient pas encore, soupire l'étoile des marins.

— Lui, a joué le rôle d'un humain tel qu'il doit être joué... Pourquoi ne l'a-t-on pas appris par cœur ? questionne-t-elle toujours.

— Je ne suis que l'étoile de Bethléem et ne peux te répondre, dit la vieille. Je sais que Lui venait accepter la mort afin que vivent ceux qui avaient la ressemblance de Dieu et qui l'avaient oublié. Pour mieux se faire comprendre, Il s'est vêtu de la charpente d'un homme. Il a endossé surtout la souffrance ; à son premier souffle, Il avait déjà souffert.

— Ce que vous en avez vu, cette nuit-là !

— Oui. Il y a vingt siècles de cela et nous en parlons, émues comme au lendemain de notre premier Noël. Etoile des marins, avons-nous raison d'être émues, nous les seuls témoins oculaires vivant encore ?

— Nous avons raison, dit l'étoile des marins.

— Avons-nous frémi, quand l'incalculable légion d'anges a crié à la terre : « Paix aux hommes de bon vouloir » ?

— Oui, du fond de nos solitudes, nous avons tremblé de joie.

— Comme c'est beau ! Et comme est triste la réponse des hommes ! répète l'étoile des amours.

107

— Ne t'afflige pas, étoile des amours, dit le vieux. Il en existe encore de ceux qui préfèrent l'ange à la bête.

— Mais les autres ?

La vieille la regarde en disant :

— Tu es l'étoile des amours. Des millions d'amoureux, de par l'univers, te racontent leurs secrets, la nuit. Dis-leur l'amour que nous venons de te raconter.

— Comment me faire comprendre ?

— Les marins la comprennent bien, elle, (et elle désigne celle qui s'occupe des bateaux). Et moi, les bergers et les mages m'avaient bien comprise aussi.

— Je trouverai un moyen, promit la petite. « Paix sur la terre aux hommes de bon vouloir ! » Quelle nuit !

— Tu sais maintenant pourquoi nous faisons un peu de toilette en décembre, nous les vieilles ?

— Je comprends.

— C'est pour nous souvenir de la lumière en Judée. Si les jours sont courts en décembre, c'est pour nous donner à nous de longues nuits, afin que nous repassions la Naissance. Nous en avons tellement à nous rappeler !

Si tu veux en savoir plus long sur cette histoire, questionne l'étoile du matin.

— Elle y était aussi ?

— Elle s'est couchée la dernière, cette nuit-là, et depuis elle a gardé l'habitude de se coucher tard. Elle disparaît quand le soleil arrive.

Et la vieille étoile de Bethléem se tait.

— Regardez en bas, crie soudain l'étoile des marins. Regardez sur la mer : les navires. Faites silence s'il vous plaît. Les hommes ne fêtent pas Noël. Ils ont besoin d'un guide.

— Je peux t'aider, étoile des marins ? demande la petite.

— Si tu veux.

— Bonne vigie. Moi, je dors.

La vieille se prépare à dormir.

— Bonsoir, étoile de Bethléem, souffle la plus jeune.

L'étoile des marins dit gravement à cette petite :

— Apprends ton métier, étoile des amours. Force les hommes à lever la tête au ciel !

— Je les aime tous, murmure-t-elle, tous ! Qu'ils arrivent à bon port ! Paix à ceux qui veulent !

18

triangle

Sur le lit, par-dessus les couvertures, il y avait une brassée de fleurs champêtres. Des fleurs rouges frangées de blanc, quelques-unes en forme de clochettes, d'autres presque noires, protégées par des épines, pêle-mêle dans des fougères et des brins d'herbes.

Un bouquet d'amoureux, d'amoureux pauvre, à une malade pauvre, mais plus belle que les fleurs.

Elle s'appelait Valianne et, l'amoureux, Gonzague.

Elle était là, couchée, avec ses cheveux noirs et ses yeux noirs, et ses mains de madone et son front blanc, parce qu'elle était malade, non pas d'une maladie souffrante, compliquée, délirante et fiévreuse. Non, une comédienne de maladie qui ne touche ni aux pieds ni aux jambes, ni aux bras, ni au ventre, ni aux épaules, ni au dos, ni à la tête ; une invisible qui ronge, comme une goutte d'eau va gruger de petites mottes de terre.

Voilà.

Elle était là, couchée, malade, comme un oiseau.

Le matin, de bonne heure, quand tout le monde dormait profondément, il lui arrivait souvent de se réveiller, d'examiner les murs, les rideaux et le plafond.

Elle savait le temps qu'il ferait par les dessins de lumière et de givre dans les vitres, elle guettait les bruits et les reconduisait jusque dans le silence. Des morceaux de son enfance lui venaient par bouffées, quand un oiseau tapait du bec dans sa fenêtre et repartait ouvert comme une feuille libre.

A ces moments-là, il lui arrivait de pleurer, non pas des pleurs pressés, violents, coléreux, découragés, non ; des pleurs lents, longs, doux, sans bruit, qu'elle laissait tomber jusque dans son cou, comme des gouttes de rosée glissent le long d'une tige.

Elle pleurait parfois le matin, parce qu'elle ne s'endormait plus, parce qu'elle était fatiguée d'être bien reposée, parce qu'elle se sentait inutile et encombrante, parce qu'elle manquait de courage, parce qu'un jour neuf allait commencer et passer dehors, et voir, et fureter, et se distraire, sans elle ; parce que les cloches appelaient les gens à la messe des pauvres et que les pauvres y allaient, et qu'elle aurait aimé partir dans son petit manteau gris qu'elle n'avait pas mis depuis si longtemps, et son chapeau à voilette, et ses claques, et ses souliers qui marchaient si bien ; marcher dans le matin, surprendre le matin dans la rue...

C'est pour tout cela qu'elle pleurait parfois le matin, tranquillement, et puis ça finissait.

Et elle riait dès le déjeuner, dès le réveil de l'hôpital, dès le brouhaha des gardes-malades qui vont et viennent. Tout le reste du jour elle riait ; non pas un gros rire avec les épaules qui sautent et la rougeur qui étouffe, les éclats qui assourdissent et qui finissent par la toux, non ; un rire de silence comme ses pleurs, plaisant, discret, aimant.

Elle riait pour ne pas effrayer les autres malades. Elle riait, parce qu'elle était jeune et aimée, parce qu'en triant à travers sa misère elle avait des secrets joyeux, des plans de petite fille, parce qu'elle était vivante ; elle riait aussi, parce que même pour une malade, c'est idiot de pleurer toujours.

Valianne qu'elle s'appelait.

Elle avait un frère, Joachim, qui l'aimait lui aussi presque autant que l'amoureux Gonzague.

Ce soir-là donc qu'il y avait le gai bouquet de fleurs sur son lit, Joachim, son frère, entra, frôla les corolles des fleurs avec son doigt et dit avec sa voix sourde :

— Gonzague est venu ?

— Oui, répondit Valianne.

— Il t'a apporté des fleurs ?

— Comme tu vois.

— Il t'aime ?

— Oui.

Elle lui demanda :

— Toi, tu ne l'aimes pas ?

— Je ne partage pas ses idées.

— Joachim, parlons de la vie.

— La vie ? Qu'est-ce que la vie ?

— Parle-moi de ce que tu as vu dehors.

— C'est triste. J'aime autant me taire.

— Parle-moi de ce que tu as vu dehors.

Joachim, avec sa voix sourde, dit :

— J'ai vu des vieillards sans amis, appuyés sur des cannes, gênés de dire aux passants qu'ils sont égarés, s'en aller tristement seuls.

J'ai vu des femmes pauvres, un enfant dans le rond du coude, se frayer un passage dans l'insipide foule.

J'ai vu des hommes bien vêtus, des tics nerveux plein le visage, les yeux rouges, écrasés dans des limousines comme des boules de laine, filer en marmottant des chiffres.

J'ai vu des muscles d'ouvriers, toujours tendus ; des faces couleur de ruines avec les crevasses au front.

J'ai vu rire des jeunes gens, j'ai pensé qu'ils se faisaient des grimaces.

J'ai vu des comptoirs remplis de drap fin, et des haillons qui marchaient.

J'ai vu des symphonies dans les vitrines froides et, sur les lèvres du peuple, des refrains obscènes.

J'ai vu des jeunes filles avec des yeux de vierge et des cœurs pourris ; tu vois, ce n'est pas gai !

J'ai vu des continents brûler, des peuples couchés dans le sang, d'autres peuples pris de la danse de Saint-Guy, d'autres se terrer

dans le bois comme des animaux, d'autres se plonger dans la mort comme dans un lit.

Aussi, j'ai vu des paquets de douleurs s'acharner sur des femmes pour essayer de leur enlever leur sourire, sans réussir.

J'ai vu un enfant s'ennuyer dans une salle bourrée de jouets, un autre s'amuser avec un râteau de quinze sous.

J'ai vu des choses incompréhensibles, injustes, indéchiffrables ; des perles dans les déchets de ruelles, et des taches noires collées sur les splendeurs.

Voilà ce que j'ai vu dehors. N'en parlons pas.

— Tu as vu de plus malheureuses que moi ?

— Reste ici à l'abri comme les moines qui s'enferment, comme une flamme dans la lampe, comme un cœur dans sa cage, et laisse la houle humaine frapper tes murs. Ne lui ouvre pas ; la vie n'est pas intéressante.

— De quoi allons-nous parler, si nous ne parlons pas de la vie ?

— Taisons-nous. Il n'y a rien à dire.

— Joachim, je m'ennuie. Donne-moi du courage.

— Pour en donner, il faut en avoir.

— Tu n'en as pas ?

— Non. La vie, je ne sais pas ce que c'est !

— C'est peut-être moi couchée au fond d'un lit depuis plusieurs mois, et qui ne veux pas partir.

— Pauvre Valianne !

— Tu me plains ?

— Non, je t'envie ! Si j'étais à ta place, je saurais bien quoi faire.

— Que ferais-tu ?

— Je n'ose pas le dire.

— Dis.

— On ne partage pas les mêmes idées.

— Dis. Je sais que tu m'aimes.

Joachim murmura étrangement :

— Je préparerais mon itinéraire !

113

— La mort ? Ne me parle pas de cette chose ici. Va-t'en, Joachim.

— Voilà, c'est triste, on ne s'entend pas.

— C'est épouvantable !

— Tu crois ? Sauter à bord de l'éternité, quelle aventure !

— Cesse.

— Ce que tu en verrais des choses !

— Va-t'en, Joachim. Ça suffit. Je veux vivre !

— Cette vie n'est pas la vie !

— Va-t'en !

— Si je ne t'aimais pas, je ne te parlerais pas ainsi. Je m'en vais.

Elle le rappela :

— Joachim.

— Oui ?

— Tu reviendras ?

— Un jour, dit-il, je te ferai aimer la mort ! Ce n'est pas si épouvantable. Ce qui est épouvantable, c'est faire ce que je fais : ouvrir la porte et vivre !

La porte se referma et Valianne resta seule.

*   *   *

Le soir, Gonzague, son amoureux, vint la voir avec un nouveau bouquet de fleurs enveloppé dans un journal.

Il mit les fleurs sur le lit, tira une chaise et sourit.

Valianne prit une fleur entre son pouce et son index, la respira longuement sans parler. Gonzague attendait qu'elle dise : « Il fait si beau, j'ai envie de me lever. » Mais elle commença :

— Gonzague, parlons de la mort.

Et Gonzague, qui l'aimait comme un fou, n'avait pas sursauté sur sa chaise. Il fixait la patte du lit et continua de pirouetter. Il fit un effort surhumain pour qu'elle ne s'aperçût de rien. Il dit :

— La mort ? Qu'est-ce que c'est ça, la mort ?

— Donne-moi du courage.

— J'étais venu en chercher.

Il laisse un sourire s'en aller de ses lèvres.

— Est-ce vrai que c'est beau, la mort ?

— Joachim est venu ici ? demanda-t-il.

— Parle-moi de ce que tu as vu dehors, fit Valianne.

Gonzague se recueillit et dit :

— J'ai vu des vieillards tremblants, aux os frêles, m'ouvrir un cœur plus jeune que le mien.

J'ai vu des ouvriers fatigués et sales, conduire leur camion en chantant des hymnes.

J'ai vu des infirmes rire et des quêteux danser, des pauvres applaudir et des riches donner.

J'ai vu des petits hommes sans muscles, fournir du courage à des géants abattus.

J'ai vu des malheureux plus fortunés que le roi, à cause de leur cœur énorme.

J'ai vu des chemins durs et des piétons sereins.

J'ai vu des jeunes filles partir pour les missions lointaines, et des mères rester seules, le chapelet dans les poings et du courage dedans.

J'ai vu des peuples en prière, des jeunes gens refaire leur village.

J'ai vu des femmes espérer et des enfants s'ébattre.

Je n'ai pas vu la vase, mais le soleil dedans.

J'ai vu des moissons venir et des moissons rentrer.

J'ai vu de grandes lueurs, et bien des choses encore. Voilà ce que j'ai vu.

Après un silence, Valianne avoua :

— Joachim est venu.

— Te parler de cette chose ?

— Oui.

Alors, il sauta de sa chaise, s'approcha d'elle d'un élan, lui prit ses deux petites mains dans la sienne, les roula comme pour les mettre dans sa poche et dit :

— C'est la vie ! C'est la vie dehors ! Parlons de la vie, ne blasphémons pas ! L'eau court dans les rigoles et le soleil par-dessus. Partout. Tiens, regarde, touche mon front comme il est chaud, juillet m'a brûlé la peau. Est-ce que je te montre la poussière sur mes semelles et l'usure de mes habits ? Regarde mon chapeau de paille et j'ai mis des bas blancs, regarde mes bas blancs. Joachim ne sait pas rire.

Valianne, c'est l'été, le miracle ! Des choses extraordinaires sont en train de s'opérer dans les champs : le blé est sorti de terre, les oiseaux neufs sortent des œufs, les jardins grouillent de millions de souffles. Tu es guérie ! Tes yeux brillent ! C'est formidable ce que le bon Dieu peut accomplir !

Il taille des ailes neuves, un système nerveux, un système respiratoire à des infimes mouches ; il donne un petit marteau au pic-bois, une truelle au castor, des pinces à l'escargot, du câble à l'araignée, et même au ver de terre, il donne des anneaux magiques pour qu'il marche !

Lentement, tristement, Valianne posa cette question :

— Pourquoi ne m'arrange-t-il pas ce que j'ai de brisé en dedans ?

Gonzague la regarda et répondit :

— Tu ne penses pas aux beaux yeux qu'Il t'a donnés ! Voilà donc que le Créateur va se mettre à faire ta volonté. Te crois-tu être la seule à souffrir ? Tu lui parles des épreuves qu'Il t'envoie, l'as-tu remercié pour ta chambre avec la chaleur dedans ? Pour toutes ces jeunes filles vêtues de blanc qui te veillent et viennent te servir ? Pour ton lit ? Le carré de soleil, la paix autour, dessus, dessous, le dévouement à plein corridor ? Il t'envoie l'extraordinaire privilège, le temps, l'occasion, la chance de nous montrer comment vivre. Tu serais la donneuse de courage, si tu voulais !

Et Gonzague se recula sur sa chaise en la dévorant avec tout son regard. Au lieu de l'inonder de sa souffrance — car il souffrait — il lui dit des choses pour la bercer :

— En m'en venant tout à l'heure, j'ai croisé un carrosse qu'une femme poussait, une femme jeune comme toi ; du carrosse pendait une patte rose, j'ai failli la prendre en passant pour te la montrer. Un oiseau me précédait dans le parc, il m'a fait signe de regarder en haut, et j'ai aperçu tous les artistes de l'univers assis dans le firmament qui jouaient une mélodie en sourdine, pour toi.

Valianne, réfléchis !

Nomme-moi sans rire des corps qui ne sont pas malades sur la terre ? Mais ce n'est pas cela qu'il faut voir ; il faut jeter ses yeux ailleurs que sur les tribulations ! Ne repousse pas ton âme comme une chose encombrante. « Elle » est immortelle. Quant au reste... Je croyais que dans le silence, tu nouais des prières avec tes ennuis, du courage avec ta douleur, que tu nous tissais des surprises à nous les errants obligés de vivre ! Qui entendra les musiques mystérieuses dans les matins tranquilles, si ce n'est toi ? Valianne, ton affaire est de vivre ! Ne t'occupe pas du reste. Un jour tu m'avais dit que tu t'abandonnais dans les mains du Maître comme un oiseau. Tu savais l'art de vivre alors. Ne sois pas changée ! Comme les pauvres gens de la rue, tu sais sur le bout de tes doigts la litanie de tes malheurs, et tu ne sais pas celle de tes bonheurs ? Allons !

— Je suis faible ! Joachim est venu, déclara Valianne. Il ne veut pas me voir étendue ici sans espoir, avec les jours infinis, monotones, éternels. Il m'a dit que la route n'était pas intéressante, qu'elle était laide.

— Il t'a dit qu'il valait mieux lever les pieds et partir lâchement ?

— ...

— Et tu dis qu'il t'aime ? Et moi ? Il faut vivre Valianne. Je verrai Joachim demain.

Valianne se coula dans le fond de son lit. Gonzague sortit.

Il marcha dans le vent pour se laver les idées, fit un détour, entra dans une église, resta debout en arrière, les doigts dans son chapeau, près du gros bénitier, se montra d'un geste à une statue qu'il y avait au fond.

— Vous n'avez pas grand-chose à faire, vous, aidez-moi, avait-il dit à la statue.

Il partit, prit l'autobus, rentra chez lui à la campagne.

Il monta dans sa chambre, se jeta sur son canapé, s'étira les jambes. Immobile, les yeux fermés, il contempla Valianne qui habitait son cerveau. Il la revit en robe claire, marcher, rire, sauter, se pencher et courir comme toutes les jeunes filles.

Il l'aimait. Doucement pour ne pas qu'elle s'évade, il mit les mains sur son front et roula dans le sommeil.

*   *   *

Le lendemain, Gonzague l'amoureux et Joachim, le frère de Valianne, se rencontrèrent.

Gonzague commença à parler :

— J'ai dit à Valianne que la vie était un trop beau cadeau pour lui faire la grimace, qu'en penses-tu ? Une personne qui veut vivre peut aller loin. On en a vu souvent des condamnés par le médecin, qui ont vécu et qui ont enterré le médecin par-dessus le marché. Pourquoi ? C'est une petite chose en dedans que les chefs de l'Eglise, que les chefs d'armées, que les chefs de partout appellent le moral. Une sorte de petit cadran qu'il faut remonter, si l'on veut qu'il fonctionne bien, qu'il donne un tic-tac égal et l'heure de l'âme juste, c'est-à-dire l'équilibre.

Dis-moi donc, s'il vous plaît, pourquoi tu as brisé le moral de Valianne. Qu'as-tu fait ? Parle. Que lui as-tu dit de si beau sur la mort ?

— N'est-ce pas que nous l'aimons tous les deux ? fit Joachim avec un sourire malheureux.

— Réponds à ma question.

— Je répondrai, mais tu m'as forcé.

Les yeux dans le vide, Joachim commença :

— Je lui ai dit que...

la grande récompense, ce doit être la mort
qui s'approche tranquille et qui ferme un par un
nos chagrins et nos sens, comme on ferme des yeux ;
et qui vient avec nous se coucher dans la terre,
bien au fond sous la tourbe, plus bas que les racines
dans notre lit de bois, enfoui avec l'argile
pêle-mêle dans la vase, la glaise et le silence,
la poussière et l'oubli et l'introuvable paix.

La grande récompense, ce doit être la mort.

Laisser le temps passer, qu'il passe tant qu'il veut ;
ne s'occuper de rien, ni de vivre ou de rire ;
avoir fini sa course, n'avoir plus rien à dire,
avoir soufflé son souffle, avoir remis son âme
entre deux ailes d'ange et l'avoir adressée
en haut d'où elle venait ; puis dormir jusqu'au bout.
Refaire le chemin qui partait du néant,
reculer, reculer, redevenir en cendres,
retourner à la fange pour obéir à Dieu.

La grande récompense, ce doit être la mort.
Voilà ce que je lui ai dit.
— Si tu es dégoûté de vivre, pourquoi contaminer les autres ?
Alors Joachim répliqua :
— Gonzague, fais-la-moi aimer, la vie. Dis-moi quelque chose
de beau sur la vie. Confort et folies amères ! Je trouve les jours
interminables, les nuits infranchissables et les gens méprisables,
de prendre tant de soin de leur petite machine. Nous sommes des
passants qui ne sont plus en route. Nous avons fixé notre demeure
ici-bas, et ce n'est pas vrai, il n'y a pas de demeures permanentes.
Alors, en route ! J'envie ma sœur : je voudrais, moi aussi, être
au terme de mon voyage, partir, sauter à bord de l'éternité. Voilà.
Si tu le peux, Gonzague, fais-moi aimer le pèlerinage !
— Joachim, écoute-moi.
Joachim écouta en tournant ses lunettes dans ses doigts.
— Joachim, dis-moi, tu sautes à bord de l'éternité et ensuite
qu'arrive-t-il ? Que t'arrivera-t-il à toi ? Crois-tu qu'avec un dégoûtant pessimisme comme le tien, tu seras admis à faire le tour de
la première partie du musée, l'autre côté ? Crois-tu qu'on va
t'admettre dans l'éternité, qu'on va te placer sur un fauteuil, et
qu'on va t'apporter la béatitude sur un plateau ? Sais-tu que ces
choses, il faut les mériter ? Et sais-tu qu'ici, tu passes tes examens
pour savoir la place où l'on te casera ? Sais-tu que la vie il faut la

vivre, précisément parce qu'elle est pénible, difficile et batailleuse ? Qu'il est commun de désirer la mort, parce que la vie est dure, mais que c'est héroïque que d'accepter de vivre ? Que tu es responsable d'abréger l'existence de Valianne et que tu seras coupable si, pour l'éternité, elle est placée dans un deuxième balcon, près des courants d'air et des propos de petite classe ? Sais-tu que sa maladie, c'est plutôt une question de volonté qu'une question de médecine ? L'ennui est un microbe qui va s'installer en maître chez ceux qui n'ont rien à faire comme les malades. Toi, tu encourages cet ennui, tu lui dis de gruger plus vite, moi je dis : « Halte-là ! » Je lui fais aimer la vie.

Nous sommes des pèlerins, oui ou non ?

Marchons, sac au dos, l'œil en avant, confiance au cœur, vent en face, chanson aux lèvres, à la merci de Dieu, allons comme les pèlerins, comme les milliards et milliards de pèlerins qui sont passés avant nous.

C'est rire qu'il faut, avec les enflures et les blessures et les bras en écharpe, et les yeux malades, et les ventres rapiécés ; c'est énergiquement foncer dans le bourbier ; c'est observer l'oiseau dans la neige, l'abeille au travail, c'est saluer le gai papillon sans amis, c'est consoler son frère, spiritualiser sa demeure, oublier ses pieds qui traînent dans la boue ; c'est, les épaules bien droites, fixer l'inconnu avec confiance tant que l'on peut, aussi longtemps que le moteur peut avancer ; c'est vouloir, c'est souffrir en riant avec la croix bien aplatie sur les épaules. Enlève tes yeux des ténèbres, Joachim, regarde la lumière, et essaie de me dire qu'une aurore n'est pas un chef-d'œuvre, qu'une patte d'orignal n'est pas un chef-d'œuvre, qu'une chevelure de femme, que la fourrure d'une noisette, qu'une coquille, qu'un virage de remous, qu'une nageoire de poisson, qu'une naissance, ne sont pas des chefs-d'œuvre. As-tu vu ses yeux à elle ? Non. Tu ne l'aimes pas. En l'empêchant d'aimer le chemin, tu l'empêches d'aimer les chefs-d'œuvre et la Beauté, et la Vérité.

Quand on ne fait pas d'efforts, la tête nous penche par en bas, et l'on ne voit que les trous et les mottes et la froidure et les cen-

120

dres ; mais quand on fait un effort, on voit la lumière dans le plafond immense, les points cardinaux et toutes les grandes inventions, ces échantillons de ce que sera le spectacle futur.

Et toi, ta tête en bas, et ceux qui te rencontrent penchent la tête comme toi ; partout où tu passes, tu fais pencher les têtes. Quatre générations de gens comme toi et la progéniture marchera à quatre pattes.

J'ai fini. Réponds maintenant.

Tu ne réponds pas ? Alors tu n'as rien à dire. Aide-moi à lui faire aimer le voyage !

Joachim ne répondit pas.

Il partit, se vêtit en dimanche, brossa ses cheveux, coupa sa barbe, piqua une fleur à sa blouse, entra chez Valianne en souriant et lui dit :

— Valianne, il faut que tu vives. Gonzague et moi, nous t'aiderons. La mort, n'en parlons plus ; cette affaire ne nous regarde pas. Ce qui nous regarde, c'est la vie, c'est elle qui nous a été donnée comme cadeau.

Dire d'un cadeau qu'il est laid et de mauvais goût, n'est-ce pas insulter Celui qui nous l'a fait ? Gonzague m'a parlé. Il a raison. Valianne, je t'avais dit un jour que, pour vivre, il fallait un corps ? Ce n'est pas vrai.

Toute spiritualité et tout idéal, et toute politesse, habitent le cerveau, le cœur, l'invisible, l'inaccessible. Laissons les genoux boiter et les souffles souffler comme ils peuvent. Vivons. Vivre la vie du bon Dieu ! Je retardais ta guérison, pardonne-moi.

La meilleure façon de se préparer au terme, je le sais maintenant, c'est proprement de pousser le pèlerinage avec confiance, avec courage, avec amour. Je dis que, si la mort est une récompense, il faut vivre pour la mériter ! Vivre la vie !

*   *   *

Un mois plus tard, Valianne disait à Gonzague :
— Parle-moi de la vie.

121

Et Gonzague, avec des mots simples, lui expliquait les merveilles, les innombrables merveilles, chaque jour renouvelées, éternellement jeunes.

Un soir de fin de septembre, Gonzague arriva chez Valianne avec une brassée de fleurs champêtres, enveloppées dans un vieux journal.

A travers les fleurs, il y avait trois tiges d'avoine en or. Gonzague, avec ses doigts, défit lentement les vêtements de l'avoine devant les yeux de la malade. Quand il eut fini, il dit :

— N'est-ce pas que c'est bien fait, bien enveloppé ?

Valianne répondit :

— Comme c'est beau ! Et l'an dernier, il y en avait de la semblable ?

— Oui.

— Et l'an prochain, il y en aura de la semblable ?

— Oui.

Ce soir-là Valianne rit beaucoup, crut à la vie. Gonzague bâtissait des plans et des rêves :

— Si j'avais deux existences à passer ici-bas, j'en passerais toute une à rêver, seulement à rêver et à remercier.

Sur la fin de la veillée, Valianne dit à Gonzague :

— Je veux faire le tour de la chambre, aide-moi.

Elle passa sa robe de chambre avec des dessins sur le collet et les poches. Gonzague la supporta dans le creux de son coude. Il lui dit :

— Tu es grande, tu es belle, tu es jeune, je t'aime !

Elle se recoucha heureuse, contente, avec ses yeux qui brillaient. Gonzague nageait dans la joie. Il lui parla encore de la vie. Et lentement. Valianne avait pris les tiges d'avoine, les avait roulées dans ses doigts, le doigt où l'on met les bagues.

Quand Gonzague eut fini de parler, elle montra sa main et murmura :

— Je suis ta fiancée.

Puis elle s'endormit. Joachim, sur la pointe des pieds, était entré, avait touché Gonzague sur l'épaule et lui avait demandé avec sa voix sourde :

— Qu'arrive-t-il ?

Gonzague, immobile comme la statue de l'église, fixait la bague d'avoine au doigt de sa belle et répondit :

— Je te présente ma femme.

Valianne vit encore.

19

ils s'en allèrent
chacun chez soi

Un groupe d'hommes de l'antiquité, possédant fortune, loisirs, esprit, culture, tout ce qu'il faut pour traverser allégrement l'existence, et rendre supportable le pèlerinage de leurs voisins moins comblés, vivaient dans un coin de l'univers.

Ils se rencontraient souvent dans les somptueux jardins de l'aîné d'entre eux, pour échanger souvenirs et opinions, idées et projets.

Sur les bancs de pierre, à l'ombre des arbres fruitiers, dans une molle quiétude, ils s'adonnaient aux choses de l'esprit.

Quelques-uns du groupe étaient très instruits. Les vieillards en particulier lisaient dans les astres, interprétaient les vieilles lois, écrivaient des traités scientifiques. D'autres s'occupaient de philosophie. Plusieurs femmes-membres connaissaient la musique et égayaient les réunions de leurs chants. Des poètes y lisaient leurs travaux ; deux anciens militaires apportaient comme offrande les captivants récits de campagnes passées ; et les autres qui avaient moins de richesse véritable, pour se venger du savoir, prenaient les allures du savant avec la barre dans le front et l'œil insondable, comme il se fait encore aujourd'hui.

Voulait-on pousser l'instruction d'un fils, placer de l'argent, ériger une construction importante ? Surgissait-il un ennui dans la législation municipale, un problème chez les ouvriers ? On les consultait. Devait-on recevoir un visiteur de marque, organiser une fête ? On les en chargeait.

Petit à petit, on en vint à les considérer comme l'âme du village. Ils répandaient leurs connaissances, développaient les arts, encourageaient l'étude de l'histoire et beaucoup d'autres choses encore.

Ces braves citoyens, à force de réussir à rendre services publics, conseils prudents, jugements sains, virent s'étendre leur renommée. Mais hélas ! ils eurent le mauvais goût de se prendre au sérieux, enjambèrent la simplicité. Orgueil aidant, ils se bâtirent un petit piédestal intérieur d'où ils commencèrent, sans trop de scrupules, à juger l'humanité.

Une bonne fois, après une séance mouvementée, où chacun se joua un peu la comédie, l'un décida qu'il leur fallait un nom. Ils s'appelleraient : « les justes ». Unanimement, cette proposition fut acceptée. On alla même plus loin : dorénavant chacun des membres porterait sur ses vêtements un petit insigne, afin d'être reconnu à distance, afin de ne pas être confondu avec les simples de la rue et afin aussi d'intriguer les étrangers.

Un peu de temps passa.

Or un jour, ils entendirent parler d'un homme qui faisait des choses extraordinaires dans le village voisin ; un étranger qui venait on ne savait pas trop d'où, qui stupéfiait la foule avec une doctrine neuve parlant d'un royaume à venir ; un homme simple, d'origine obscure, à la vie sans tache, à la réponse terrible, qui expliquait les prophéties, démasquait les puissants, enseignait la charité, aimait les enfants et couchait chez les pauvres.

Sans s'émouvoir, sans se surprendre de rien comme font les savants, « les justes » écoutèrent ces rumeurs, souriants, les mains sur le ventre, contents de leur flegme, les yeux remplis de pitié pour leurs compatriotes qui prêtaient l'oreille aux sortilèges d'un passant.

Mais le bruit que faisait cet homme avec ses prodiges continuait toujours de grossir. Il paraît que les foules le suivaient jusque dans sa retraite, oubliaient l'heure de manger, de dormir, de rentrer à la maison, préférant l'entendre et l'entendre encore. Alors « les justes » déléguèrent incognito un de leurs hommes, une sorte d'éclaireur, qui vérifierait sur les lieux l'authenticité de tout cela.

L'éclaireur revint pâle, défait, souffrant. Le visage hagard et la voix changée, il dit : « Je l'ai vu faire un miracle. La main d'un homme était sèche, il a dit : étends ta main, et la main est redevenue saine. Je l'ai vu. » Ses camarades le traitèrent de dément. Tout de même, ils jugèrent bon de se retrancher davantage derrière leur réputation d'hommes infaillibles, de lumières vigilantes, de cerveaux difficiles à tromper ; alors les vieillards étudièrent les astres avec plus d'attention, au cas (mais on ne le disait pas) où ils seraient confrontés avec l'inconnu. On sortit les vieux textes de Moïse et les plus jeunes du groupe les apprirent par cœur. Les poètes composèrent des épopées. Les docteurs résumèrent la création, fixèrent sous leur crayon le passé, le présent, l'avenir, et attendirent tranquillement.

Il vint.

Lui, le Maître. Il vint. Sans faste ni cérémonie. Simplement, suivi de quelques hommes qui marchaient comme des marins, avec leurs visages limpides comme le fond des lacs.

Il vint, Lui.

Humblement, avec sa toge poussiéreuse et ses sandales de cuir, la main en avant pour toucher les malades, avec la voix qui disait sans jamais s'enfler : « La paix soit avec vous ! » et ses yeux profonds qui perçaient l'écorce des hommes pour leur fouiller le fond du crâne et le fond du cœur.

Il vint avec sa bonne nouvelle d'amour, parla sur la place publique, comme Il faisait dans chaque village qu'Il traversait.

Les gens du peuple l'écoutaient d'abord distraitement, puis avidement, couraient avertir leurs parents, leurs amis, amenaient leurs infirmes, leurs infortunés et suppliaient cet homme extra-ordinaire de les guérir. Il soufflait dans des oreilles mortes, ouvrait des yeux éteints, commandait au sang de circuler dans des artères séchées, dénouait des paralysies, regardait tous ces humains avec miséricorde. Il s'était même penché vers un de ses disciples un jour, et lui avait dit : « J'ai pitié de cette foule ! » Et il parlait des humbles, des pauvres, des souffrants ses amis, de la triste terre qui est une vallée de larmes, d'une autre vie qui n'est pas celle que nous vivons, d'espérance, d'amour, de précieuses peines qui seraient récompensées un jour. Merveilleuses nouvelles que l'on écoutait ravis ! Les gens criaient : « Tu es Dieu ! Tu es Prophète ! » Et ils se ruaient vers Lui pour le voir de plus près.

Fatalement, le groupe des « justes » s'endimancha un matin.

Ils frottèrent leur insigne, peignèrent leur barbe, et s'approchèrent de l'étranger, curieux, mais sourds d'avance à ce qu'ils entendraient, la bouche ricaneuse, les arguments dans le coin des lèvres. Par mesure de prudence, ils se dispersèrent dans la foule pour écouter ce charlatan.

Mais ils ne firent qu'écouter. Ils ne purent l'interpeller, ni le prendre en défaut sur la loi. Et le pire, c'est qu'après l'enseignement, ils le virent de loin à travers la multitude, étendre les mains sur un paralytique. Alors ils hâtèrent le pas et, sans attendre, mais sans jamais se hasarder à le questionner.

Un jour, le plus vieux des « justes » et le plus courageux peut-être, irrité de jouer à l'élève lorsque chez lui on le considérait comme un maître, l'interpella avec un grand sourire arrogant et poli. « Rabbi, nous savons que vous parlez et enseignez avec droiture et que vous ne faites acception de personne, que vous enseignez la voie de Dieu en toute vérité, mais voici une question. Nous est-il permis ou non de payer l'impôt à César ? »

Le Maître, flairant tout de suite la fourberie, devinant le piège sous le masque, l'hameçon caché sous cette langue, répondit doucement au vieillard : « Pourquoi me tentez-vous ? » Et d'un regard, Il le fouilla jusque dans l'âme. Puis il dit : « Montrez-moi un denier. »

Ils lui montrèrent un denier.

« De qui porte-t-il l'image ? » demanda-t-il.

Les autres justes s'étaient rapprochés de leur chef, convaincus qu'ils tenaient cet homme dans le creux de leurs mains.

A la question sur la pièce de monnaie, ils répondirent : « De César. »

Et l'homme les regarda longtemps, un par un, lisant le fond de leur nuit. Il déclara sans trouble : « Rendez à César ce qui est à César et à Dieu ce qui est à Dieu. »

Les « justes », après le silence gênant qui suivit, reculèrent effarouchés un peu, se glissèrent dans la multitude : le mouchoir dans la figure, faisant mine de s'éponger à cause du soleil, la main gauche sur l'insigne pour ne pas être reconnus, ils disparurent.

Chaque fois qu'ils revinrent à l'attaque, ils se firent renvoyer par une réponse si juste et si directe, que leur science en crevait comme un tambour.

Pour un certain temps, ils ne reparurent pas devant le Prophète. Ils cherchèrent secrètement le moyen de le prendre, de le faire agir contre la loi. Ils crurent trouver ce moyen.

Il faisait beaucoup de clarté et de fraîcheur, ce matin-là.

Le Maître parlait doucement à la foule réunie sur la place. Soudain un brouhaha, une interruption.

Le maître cessa de parler et vit venir là-bas, entre les rangs de la foule, « les justes » fiers et contents, qui poussaient une femme en avant d'eux.

Ils jetèrent cette femme aux pieds du Seigneur, disant : « Cette femme a été surprise en flagrant délit d'adultère. La loi de Moïse nous dit de la lapider. Et vous, que dites-vous ? »

Voilà. Cette question était dure, bien posée, bien réfléchie. Le fait brutal, pressant. La foule était là, surprise, inquiète, facile à détourner, à prendre peur. La réponse était difficile.

Le Maître parut troublé, triste. Il ne répondit pas.

Et « les justes » s'envoyaient des coups de sourcils l'un à l'autre, ouvraient des sourires, flattaient leur insigne avec la paume de leurs mains en attendant la réponse.

« Vous, que dites-vous, doit-on la lapider ? » continuaient d'interroger les savants.

Des pieuses femmes, voyant l'embarras du Maître, se sauvèrent, craignant qu'un malheur n'arrivât et que leur Dieu fût sans réponse. D'autres se mirent à genoux, les mains sur les oreilles, et n'osèrent bouger.

Le Maître se pencha, s'accroupit à deux pas de la femme adultère qui se voilait le visage et qui attendait la sentence en tremblant.

Il roula sa manche droite jusqu'au poignet et, doucement comme Il faisait toutes choses, traça des signes sur le sable avec son doigt.

Quoi ? Qu'avait-Il dessiné ? Des lettres ? Des chiffres ? Une image ? Une figure ? Personne ne l'a jamais su.

Peut-être la femme, par-dessous son voile, a-t-elle lu des paroles ineffables qui ont tué sa vieille vie et lui ont indiqué comment devenir une sainte ? Un langage divin était là sur le sable en tout cas.

« Doit-on la lapider, cette femme ? » grognaient « les justes », s'impatientant.

Le Maître se grandit tout à coup d'un mouvement brusque et, faisant porter sa voix jusqu'au dernier rang de la foule, brisa le silence par ces mots extraordinaires : « Que celui d'entre vous qui est sans péché lui jette la première pierre. »

Puis lentement, Il s'accroupit de nouveau et continua d'écrire sur le sable.

Un long moment suivit. La terre se souvint de ce moment-là.

Après, le Maître leva les yeux. Il n'y avait personne. Absolument personne. Tous, en commençant par les plus vieux, s'étaient retirés. Tous. Le groupe des « justes », en débandade, s'en était allé bouillant, brûlant, en rage, n'osant se retourner, montrant le poing au ciel, furieux d'avoir été démasqué publiquement et d'avoir été forcé d'avouer par un silence, qu'eux « les justes », avaient des péchés, eux, la lumière de la localité, eux les sages, le jugement, l'élite, les purs, le flambeau, étaient faits de la même argile que la plèbe ignorante et crasseuse.

D'un coup, leur réputation venait d'éclater en morceaux comme une vitre.

Ils ne voulurent plus se rencontrer jamais, à cause de la honte de se revoir, à cause du peuple qui rirait d'eux, à cause de cette irréparable fêlure tout le long de leur renommée.

Cette phrase roulait comme une bille dans leur tête vidée : « Que celui qui est sans péché... »

Ce fut la fin de leur prestige.

Et là-bas sur le sable, où le soleil éclairait, voilà comment finit cette histoire merveilleuse.

La femme resta seule, figée de surprise, de honte et d'amour, devant Celui qui d'une phrase avait reculé sa mort, qui comprenait la faiblesse humaine et surtout qui croyait en la relève humaine.

« Femme, où sont les gens ? Personne ne vous a condamnée ? »

Elle répondit : « Personne, Seigneur. »

Et le Maître, avec sa voix des nobles pensées, des grands espoirs, des invitations au sublime, dit : « Moi non plus. Je ne vous condamne pas. Allez. Et désormais ne péchez plus. »

Et elle partit en courant, pendant que Lui, debout, sans la regarder s'éloigner, balayait les signes sur le sable avec sa sandale de cuir.

lexique

Absinthe : liqueur alcoolique faite avec cette plante aromatique et amère.

Allégrement : gaiement, joyeusement.

Andante : mouvement modéré, ni trop vite, ni trop lent.

Barachois : petit port, lieu de refuge, banc de sable.

Barbet : chien épagneul à poil long et frisé.

Barge : bateau plat, pour la navigation en eau peu profonde.

Bougonnant : grondant, murmurant entre ses dents.

Bourbier : lieu creux plein de boue.

Bribes : fragments, morceaux, phrases prises çà et là.

Brouhaha : bruit de voix confus et tumultueux.

Calmir : se calmer.

Chimère : idée fausse, illusion, vaine imagination.

Clencher : ouvrir (une porte), lever la clenche d'un loquet.

Cohorte : corps d'infanterie romaine, groupe de gens.

Colifichet : petit objet de fantaisie, sans grande valeur.

Couche-chaude : petite construction de verre ou de plastique qui favorise la croissance de certaines plantes même en hiver.

Cul-de-jatte : infirme qui n'a ni jambes, ni cuisses, qui est privé de l'usage de ses jambes.

Ebats : mouvements enjoués, plaisants.

Ecueil : rocher, banc de sable à fleur d'eau, qui met en péril un navire.

Faîte : sommet, le degré le plus élevé.

Fale : partie antérieure du cou (en parlant de certains oiseaux, de certains quadrupèdes) ; poitrine, gorge.

Fat : personnage vaniteux, satisfait de lui-même.

Fenil : lieu où on entasse les foins.

Fioriture : ornement ajouté à quelque chose.

Fugitive : qui s'est échappée.

Glèbe : sol en culture.

Hauban : câble qui sert à soutenir le mât d'un bateau.

Indicible : inexprimable.

Lapider : tuer à coups de pierres.

Manigot : vêtement pour les marins.

Maquignon : marchand de chevaux.

Nordir : tourner au nord, en parlant du vent.

Oculaire : témoin oculaire : celui qui a vu ce qu'il affirme.

Oisif : qui n'a pas d'occupation.

Paganisme : état de ceux qui ne sont pas chrétiens.

Palper : explorer en touchant de la main.

Percheron : se dit surtout des chevaux qui viennent du Perche (région de France).

Pétrel : oiseau de haute mer et ne venant sur terre que pour faire son nid.

Phosphorescent : corps émettant de la lumière dans l'obscurité (sans chaleur).

Scrofuleux : qui cause ou accompagne une affection qui prédispose à la tuberculose.

Siler : siffler.

Somptueux : d'une grande richesse.

Spiritualiser : donner une âme à...

Tringle : moulure de bois garnissant un mur.

Varlope : instrument servant à polir le bois.

Vigie : personne qui est chargée de surveiller l'horizon.

table des matières

COLLECTION DU GOÉLAND

Dans ses voyages au long cours, le goéland, cet oiseau marin, survole les continents de l'Arctique à l'Antarctique. Il plane
sur les côtes et les baies, les lacs et les
rivières jusqu'à l'intérieur des terres.

La collection du Goéland, par la diversité
de ses auteurs et de ses sujets, vous propose de le suivre dans ses merveilleux
voyages au fil des mots.